Guia Mágico de Reiki para a Auto-Harmonização

Brett Bevell

Guia Mágico de Reiki para a Auto-Harmonização

Tradução:
Larissa Ono

Publicado originalmente em inglês sob o título *The Reiki Magic Guide to Self-Attunement*, por Crossing Press.
© 2007, Brett Bevell.
Direitos de edição e tradução para o Brasil.
Tradução autorizada do inglês.
© 2018, Madras Editora Ltda.

Editor:
Wagner Veneziani Costa

Produção e Capa:
Equipe Técnica Madras

Tradução:
Larissa Ono

Revisão da Tradução:
Fabíola Cardoso

Revisão:
Maria Cristina Scomparini
Neuza Rosa

Dados Internacionais de Catalogação na Publicação (CIP)
(Câmara Brasileira do Livro, SP, Brasil)

Bevell, Brett
Guia mágico de Reiki para a auto-harmonização / Brett Bevell ; tradução Larissa Ono. -- São Paulo : Madras, 2018.
Título original: The Reiki magic guide to self-attunement.

ISBN 978-85-370-0914-7

1. Reiki (Sistema de cura) I. Título.
14-04621   CDD-615.852
Índices para catálogo sistemático:
1. Reiki : Sistema de cura :
   Terapias alternativas 615.852

É proibida a reprodução total ou parcial desta obra, de qualquer forma ou por qualquer meio eletrônico, mecânico, inclusive por meio de processos xerográficos, incluindo ainda o uso da internet, sem a permissão expressa da MADRAS Editora, na pessoa de seu editor (Lei nº 9.610, de 19.2.98).

Todos os direitos desta edição, em língua portuguesa, reservados pela

MADRAS EDITORA LTDA.
Rua Paulo Gonçalves, 88 – Santana
CEP: 02403-020 – São Paulo/SP
Caixa Postal: 12183 – CEP: 02013-970
Tel.: (11) 2281-5555 – Fax: (11) 2959-3090
www.madras.com.br

A Helema Kadir e a todos os que trabalham em prol da paz mundial.

Agradecimentos

*Eu devo gratidão a Pan, a Jesus, à deusa Sekhmet, a Ra Ta (Edgar Cayce) e ao Deva do Reiki, por me inspirarem e guiarem neste processo. Também devo gratidão a Ric Weinman, fundador do VortexHealing®
Divine Energy Healing, e a Merlin (o Avatar), a fonte da linhagem do VortexHealing, por acrescentar um* upgrade *energético de VortexHealing ao que já era um processo eficiente de harmonização de Reiki disponível a todos que lerem este livro. E desejo profundamente agradecer a meu amigo xamã Carolion e aos companheiros Mestres de Reiki Hethyrre, Michele Denis e Noelle Adamo, por todo seu apoio, aconselhamento e incentivo, assim como por permitir que eu experimentasse neles e com eles durante a última década.*

Índice

Agradecimentos 10
Introdução 11
Capítulo 1 – Linhagem do Reiki e Evolução 13
Capítulo 2 – Harmonizações e Graus 19
Capítulo 3 – Primeiro Grau da Iniciação ao Reiki 23
Capítulo 4 – O Autotratamento de Reiki 27
Capítulo 5 – Usos Diários do Reiki 41
Capítulo 6 – Tratamentos de Reiki para Família e Amigos 43
Capítulo 7 – Tratamentos em Grupo 53
Capítulo 8 – Símbolos do Segundo Grau do Reiki 55
Capítulo 9 – Harmonização do Segundo Grau do Reiki 59
Capítulo 10 – Usos Básicos do Segundo Grau do Reiki 63
Capítulo 11 – Exercícios Simples para Enviar o Reiki 73
Capítulo 12 – Símbolos Alternativos do Reiki 75
Capítulo 13 – Símbolos do Terceiro Grau do Reiki 93
Capítulo 14 – Harmonização do Terceiro Grau do Reiki 97
Capítulo 15 – Harmonizando Pedras e Velas com o Reiki 99
Capítulo 16 – Utilizando Pedras e Velas de Reiki 105
Capítulo 17 – Harmonizando Outras Pessoas com o Reiki 109
Capítulo 18 – Reiki Sahu 117
Capítulo 19 – Enviando e Liberando Harmonizações 121
Capítulo 20 – O Reiki em Todas as Coisas 129
Capítulo 21 – Conexões de Reiki 137
Capítulo 22 – Cristais de Reiki 145

Capítulo 23 – Dinâmica do Reiki..149
Capítulo 24 – Reiki Como Oração..155
Capítulo 25 – O Futuro do Reiki...157
Apêndice de Exercícios...161
Recursos..167
Índice Remissivo...169

Introdução

O livro que você tem em mãos é mágico. Magia, em termos esotéricos, é a conjunção de energias mental, física ou espiritual por meio de ritual, prece ou outras maneiras de alcançar resultados em nossas vidas que estejam em consonância com nosso desejo pessoal ou divino. A palavra *mágica* também apresenta como conotação um sentido de admiração, como em *ter uma infância mágica*. Este livro é mágico, pois, se usado de forma adequada, intensifica aquela sensação de admiração em sua vida; além disso, leva sua consciência aos limites mais longínquos já imaginados. No entanto, o mais importante é que esta obra é mágica pelo fato de ter um poder único: o de conectá-lo às harmonizações de Reiki que vêm sendo emitidas através da matriz tempo/espaço. Tais harmonizações são como eternas linhas de luz que existem no tempo e podem ser cruzadas e invocadas por palavras sagradas repetidas, oferecidas neste texto. O processo de harmonização apresentado nesta obra foi aperfeiçoado e pesquisado desde 1995, e provou-se ser tão eficiente quanto a harmonização de Reiki presencial. Muitos questionarão tanto a técnica como a ética deste livro. Ele é revolucionário e, portanto, rompe barreiras imediatamente confortáveis para alguns, obstáculos esses que também impedem o despertar de grande parte da humanidade para este presente maravilhoso e de fácil acesso chamado Reiki. O potencial existe para tornar o Reiki parte de nossas vidas cotidianas e um aspecto comum da vida humana, para trazer o Reiki para nossos lares, para nossos alimentos e água, para quase todos os aspectos de nosso ser. Escrevi *Guia Mágico de Reiki para a Auto-harmonização* para observar o Reiki desenvolver-se além de simplesmente uma ferramenta curativa oferecida em sessões particulares pagas e tornar-se, ao contrário, um aspecto comumente compreendido de nossa existência – o qual se abrange em direção a uma consciência ainda maior de nosso potencial quanto a seres espiritualmente pacíficos tomando posse de nosso legado espiritual. Este livro apresenta um caminho possível rumo a esse objetivo.

Capítulo 1

Linhagem do Reiki e Evolução

Reiki é uma forma de cura energética de característica prática proveniente do Divino. É uma cura energética inteligente que flui por meio de qualquer indivíduo que tenha recebido uma iniciação em Reiki – chamada de harmonização. Uma vez harmonizada ao Reiki, uma pessoa apresenta a habilidade de empregar essa energia para a cura própria ou a de outrem; trata-se de uma habilidade que perdura por uma vida inteira. Alguns frequentemente confundem Reiki com energia mediúnica, o que não é verdade. Se você pensar nisso como uma forma de radiação, a energia mediúnica irradia a partir de cada um de nós de modo individual, enquanto o Reiki irradia do Divino, mas permite-se que flua por intermédio de pessoas que são iniciadas na linhagem Reiki. Portanto, Reiki possui uma inteligência, assim como compaixão e cura muito maiores do que qualquer uma pertencente a um ser humano individual. É tão ilimitado quanto a fonte Divina de onde ela provém. Durante as sessões de Reiki, a energia sempre parece saber aonde ir e o que fazer, ao contrário da energia mediúnica, a qual precisa estar conscientemente direcionada. A beleza da linhagem do Reiki em relação à cura é que não exige que você seja médium ou intuitivo, tampouco possua quaisquer habilidades especiais. Uma vez harmonizado com esta energia sagrada, tudo o que você precisa fazer é desejar que ela atravesse suas próprias mãos e se transmita para quem ou o que quer que você pretenda curar.

O primeiro Mestre de Reiki: dr. Mikao Usui

A atual linhagem do Reiki deste planeta se iniciou por meio dos esforços do dr. Mikao Usui, curador japonês e o primeiro Mestre de Reiki do mundo que viveu de 1865 a 1926. Dr. Usui acreditava que a humanidade já possuía uma vasta habilidade espiritual para cura, como as curas realizadas por Jesus e Buda, mencionadas em textos religiosos sagrados. Sua busca por redescobrir a fonte dessa cura — uma que durou aproximadamente sete anos – incluiu as pesquisas sobre textos sagrados, meditação e, finalmente, orar e jejuar no topo de uma montanha sagrada por 21 dias. Ao término desse período, dr. Usui teve uma experiência mística na qual foi abençoado pelo Divino com um maravilhoso dom de cura – que dr. Usui batizou de Reiki –, uma palavra japonesa cuja tradução literal é "Energia Vital Universal". Quando dr. Usui recebeu sua iniciação pelo Divino, viu "bolhas de luz" vindo dos céus, e estas o abriram para a capacidade de fluir, o que ele chamou de Reiki por suas mãos. Pouco depois de sua experiência mística, dr. Usui machucou o pé quando descia da montanha em que jejuou. Ele colocou as mãos sobre o pé e curou seu ferimento por meio do Reiki. A partir desse dia até o fim de sua vida, dr. Usui seguiu um caminho de cura no qual utilizou o Reiki para curar os outros, ensinou aos interessados em aprender e abriu uma clínica especializada onde outros Mestres de Reiki foram treinados, de modo que a linhagem pôde continuar após sua morte.

Há muita especulação sobre a verdadeira história que cerca esse homem misterioso. Parte dela afirma em escritos que ele talvez seja uma lenda, enquanto outros elementos são verídicos. Ter sido ele um sacerdote cristão (conforme alguns livros) ou um monge budista (como outras fontes atestam), trata-se de especulação. O que, de fato, todas as fontes escritas confirmam a respeito de dr. Mikao Usui é que ele foi um homem engajado com o caminho místico, descobridor de uma fonte espiritual de cura a qual chamou de Reiki.

Em minha própria experiência pessoal como curador e professor de Reiki – e como um indivíduo que respeita todas as tradições espirituais –, eu honro dr. Mikao Usui por trazer o Reiki a este planeta, por oferecê-lo como uma ferramenta simples e poderosa que todos são capazes de aprender. O importante não é tanto quais foram suas próprias práticas espirituais, e sim que ele mergulhou fundo nelas para se aproximar o suficiente da Fonte de todas as coisas, de modo que pôde apresentar esta maravilhosa cura energética a qual chamamos de Reiki.

Também existem especulações acerca de como dr. Usui ensinou Reiki durante sua vida. Alguns afirmam que ele utilizou o sistema de graus e símbolos popularmente conhecido no sistema Reiki como é ensinado atualmente. Outros alegam que empregou símbolos, que não havia sistema de graus e que o processo de harmonização era uma transferência de energia repetida que ocorria durante um período de tempo prolongado, por meio de um método referido como Rei-ju. Mais uma vez, a verdade parece, de certo modo, envolta em mistério.

O Reiki difunde-se por todo o mundo

A história do Reiki após a morte de dr. Usui também possui elementos de especulação, mas o que é evidente, a partir de todas as fontes, é que antes da Segunda Guerra Mundial o Reiki foi levado aos Estados Unidos por uma mulher nipo-americana chamada Hawayo Takata. Ela foi treinada como Mestre de Reiki em 1938, em Tóquio, por Chujiro Hayashi, um dos Mestres de Reiki iniciados por dr. Usui. Ao deixar o Japão, Hawayo Takata começou a oferecer treinamento em Reiki e curas nos Estados Unidos – primeiramente no Havaí e, finalmente, em São Francisco. Embora Hawayo Takata tenha falecido em dezembro de 1980, ela harmonizou 22 Mestres de Reiki durante toda a sua vida. Esses 22 mestres treinaram e harmonizaram um grande número de outros alunos de Reiki, e a quantidade de Mestres de Reiki e praticantes vem crescendo desde então.

Atualmente o Reiki pode ser encontrado em todos os estados que compõem os Estados Unidos e na maioria dos países ao redor do mundo. O Reiki pode até ser encontrado, nos dias atuais, em alguns hospitais avançados. E, em muitos estados, enfermeiros e massoterapeutas podem receber educação continuada para o aprendizado dessa maravilhosa arte curativa. O objetivo deste livro é expandir ainda mais a função do Reiki, a fim de que se torne um aspecto comum da experiência humana e esteja à disposição de todas as pessoas que assim desejarem.

Minha experiência com o Reiki

Minha própria experiência com o Reiki começou em 1992 após ter meu dente removido na NYU Dental School (Universidade de Odontologia de Nova York). Minhas gengivas estavam me matando, e meu colega de quarto, Eben, disse que pensou ser capaz de me ajudar colocando as mãos em minha bochecha e realizando uma cura energética chamada Reiki, da qual eu nunca ouvira falar. Minha boca estava inchada, pois o estudante de odontologia que havia removido meu dente do siso fora muito bruto. Eu estava com dores e nada parecida ajudar o inchaço diminuir. Mas, quando Eben colocou as mãos em minha bochecha, tive uma sensação de alívio. Não que a dor tenha sumido; ela não se foi por completo, mas eu realmente tive uma sensação de alívio, uma sensação de que eu era amado por alguma força muito maior do que eu mesmo. E essa sensação de amor estava vindo por meio das mãos de Eben enquanto ele realizava o tratamento de Reiki em mim. Eu estava aliviado e senti como se, de repente, fosse maior do que a dor, que eu sobreviveria à dor. E senti que, por fim, me curaria. Mais tarde, durante a sessão, comecei a sentir sono; e, quando o tratamento chegou ao fim, 30 minutos depois, tive uma sensação profunda de serenidade que preencheu todo o meu ser.

Essa foi minha apresentação ao Reiki. Nenhuma palavra pôde me explicar o que era essa energia incrível ou o que ela poderia fazer por mim. Eu tive de vivenciá-la diretamente. Na ocasião, não sabia que um dia me tornaria um Mestre em Reiki, porém fui tocado por uma energia suave e terna, uma energia que mudaria minha vida. O que não percebi foi que tal energia tinha o poder de mudar toda a humanidade, a qual, porém, tinha de experimentá-la diretamente para, de fato, compreender aquela.

Meu próprio treinamento em Reiki englobou três Mestres diferentes. Recebi o Primeiro Grau pela Mestre Elka Petra Palm, professora da Reiki Alliance, que me proporcionou uma base sólida na compreensão tradicional do Reiki; o Segundo Grau, por Mary Roberson, uma Mestre em Reiki que me incentivou a explorar o Reiki de maneira alegre, como uma forma de aumentar minha consciência; e o Nível de Mestre em Reiki, da Mestre Mary Dudek, que me treinou em como compartilhar esse presente de uma posição simplória.

A evolução do Reiki e a consciência humana

Minha evolução com o Reiki me ensinou que o sistema do Reiki, por si só, está evoluindo, a exemplo da consciência humana. Enquanto outrora pode ter sido de extrema importância falar em linhagem, a fim de permanecer ligado ao modo no qual o Reiki nos foi explicado pelos outros, descobri com o passar dos anos que a maior descoberta do Reiki vem do ato de ouvir a energia por si só, tirando-a do domínio da personalidade ou do dogma. Portanto, durante muitos anos, simplesmente experimentei com o modo no qual a energia do Reiki poderia ser adaptada e utilizada de maneiras criativas. Eu não desprezei os ensinamentos dos meus Mestres de Reiki, mas simplesmente percebi que há mais em relação ao Reiki do que qualquer um jamais me explicou. Também incorporei meu conhecimento sobre o trabalho inovador de Machaelle

Small Wright por meio de seu livro *MAP: The Co-Creative White Brotherhood Medical Assistance Program*, utilizando suas técnicas para conectar-me com o domínio dévico e receber orientação do mundo espiritual em relação a como expandir o Reiki como um sistema.

Minha primeira suposição em todos os meus experimentos de Reiki foi que, contanto que não estivesse prejudicando alguém ou interferindo em seu livre-arbítrio, seria livre para me desenvolver, da mesma forma que utilizei o Reiki conforme direcionado por meus professores espirituais. Com o passar dos anos, foram-me mostradas maneiras inovadoras de adaptar o processo de harmonização de Reiki para harmonizações absentistas – primeiramente, ao enviar harmonizações de Reiki para um labirinto, de modo que qualquer um que andasse naquele labirinto específico e pedisse uma harmonização e estivesse no centro poderia ser harmonizado para o Primeiro Grau do Reiki. Pedi que diversos amigos não harmonizados com o Reiki, mas que tinham interesse em aprendê-lo, caminhassem no labirinto e solicitassem uma harmonização para o Primeiro Grau do Reiki. Em todos os casos (que ocorreram durante meses), quando senti suas mãos após terem caminhado pelo labirinto e solicitado a harmonização, elas fluíram Reiki. Mais tarde, meus professores espirituais me mostraram que aquela caminhada no labirinto não era necessária, que a harmonização poderia ser enviada conectando-se apenas a uma frase específica, uma série de palavras poderosas, e que, ao simplesmente expressar a frase com a intenção correta, alguém seria harmonizado ao Reiki.

No verão de 2000, comecei a ensinar Reiki aos funcionários do maior centro de treinamento holístico, o Omega Institute for Holistic Studies, em Rhinebeck, Nova York. Desde 2002, estou lecionando no nível de Mestre em Reiki também para os funcionários daquela instituição e tive muitos exemplos em que os ensinamentos deste livro se confirmaram em aulas com meus alunos.

Como Shakespeare escreveu em sua maravilhosa peça *Hamlet*: "Há mais coisas entre o Céu e a Terra, Horácio, do que sonha nossa vã filosofia". Isso também é verdade quando se trata de Reiki. Do ponto de vista histórico, o Reiki sempre esteve envolto em mistério; e, onde há mistério, sempre há espaço para explorar o desconhecido. Deixem-nos respeitar a linhagem do Reiki, mas não a deixe nos cegar em relação à ignorância de fingir que sabemos tudo o que é possivelmente verdade sobre essa energia maravilhosa. Devemos honrar que o próprio sistema do Reiki nasceu por meio da curiosidade e da busca espiritual de um homem que acreditava haver mais sobre a vida e a cura do que ele sabia ou lhe haviam contato. A energia do Reiki possui muitos segredos a serem revelados para nós. Se nos contentarmos com o fato de aqueles antes de nós saberem tudo o que há para saber, nunca progrediremos à promessa do que o Reiki é capaz de oferecer: não apenas uma transformação de indivíduos, mas também uma transformação de toda a humanidade.

Capítulo 2

Harmonizações e Graus

Existem três graus no Reiki. No Primeiro Grau do Reiki, a energia flui pelas suas mãos. No Segundo Grau, você aprende os símbolos do Reiki para intensificar o fluxo dele, de modo que consiga enviá-lo pelo tempo e espaço ou direcioná-lo à cura de problemas mentais e emocionais. O Terceiro Grau do Reiki é o de Mestre, no qual você é habilitado com mais símbolos, o que lhe permite realizar a cerimônia sagrada de harmonização. Alguns professores dividem o Terceiro Nível em até dois subníveis, ensinando Reiki como um sistema de quatro níveis, oferecendo a capacitação energética do Nível de Mestre como o Terceiro Nível a alunos que desejam fluir a níveis mais elevados de energia, mas que não querem chegar a se tornar Mestres de Reiki. Nesse sistema, eles tratam o Quarto Nível como o treinamento final do Nível de Mestre.

A iniciação em harmonização

Aprender Reiki é algo que exige uma iniciação – chamada de harmonização. Você não pode acessar o Reiki simplesmente por meios intelectuais ou meditativos. Existem harmonizações para cada nível, as quais abrem as mãos e o chacra da coroa para a energia do Reiki em cada nível. (Para aqueles não familiarizados com o termo, chacras são mecanismos de energia sagrada que existem em sete locais em nosso corpo energético, a começar pela parte inferior do tronco e movendo-se para cima. O chacra da coroa, localizado exatamente na parte superior do crânio, influencia tanto quanto é influenciado por nossa consciência espiritual e conexão com o Divino.) No ponto de vista tradicional, tais harmonizações são realizadas pessoalmente por um Mestre de Reiki. A única técnica sobre este livro é que revela um método novo de harmonização que permite fácil acesso para que todos estejam sintonizados ao Reiki sem ter de recorrer a um Mestre. A intenção é proporcionar a toda a humanidade a capacidade de utilizar o Reiki em suas vidas todos os dias, visando à melhoria da saúde e da espiritualidade. Não é o objetivo deste livro certificar ou treinar pessoas como reikianos atuantes em nível profissional. Se você deseja se tornar um praticante de Reiki e empregá-lo de modo profissional, a melhor opção seria dirigir-se a um Mestre de Reiki e receber treinamento, com atenção individualizada e apropriada às suas dúvidas e necessidades.

Reiki para todos

Como uma espécie que se encontra em crise espiritual e ecológica, infelizmente não dispomos de tempo nem recursos para que todos sejam treinados em Reiki de modo individual. Questões financeiras interferem, a exemplo da desconfiança de muitos daqueles que não desejam investir muito tempo, energia e dinheiro em um método de cura baseado, via de regra, em algo invisível. Assim, é importante apresentar o Reiki à humanidade de uma maneira que seja útil, fácil e acessível – e todos os humanos precisam do Reiki, para a própria saúde, para o benefício de elevar a vibração de toda a raça humana, assim como para o bem do planeta como um todo.

  Algumas pessoas da velha escola do Reiki afirmam que ele não pertence a todas as pessoas, que se reserva aos espiritualmente desenvolvidos. Alegam também que é a força que deve ser recebida, e não o contrário. Concordo até certo ponto com o argumento de que não é para ser oferecido. Eu harmonizei gratuitamente algumas pessoas que não pareciam estimar sua nova capacidade de cura. Reiki é uma energia sagrada, e algumas pessoas não o reconhecerão como tal. Há outras que não darão o devido valor a esse dom e não reconhecerão o poder que ele pode trazer para suas vidas. No entanto, não podemos retirar a oferta de Reiki para toda a humanidade por causa daqueles indivíduos. E o teste atual para se tornar um reikiano é, infelizmente, em grande parte, financeiro – parece haver pouquíssima espiritualidade nessa norma. Por isso, ofereço este livro àqueles que desejam "ter uma palhinha" do Sistema Reiki de Cura Natural. Além disso, ofereço-o aos que desejam descobrir a capacidade infinita de o Reiki influenciar suas vidas. O conceito de uma troca energética não é ignorado nesta obra, mas foi modificado na tentativa de tornar o Reiki disponível a todos.

Ampliando o processo de harmonização

Após estudar os símbolos sagrados utilizados no sistema Reiki e depois de muitos anos de experiências e ensino deles a outras pessoas, descobri que existe uma variedade de técnicas de harmonização e possibilidades. Primeiramente, é possível enviar uma harmonização de Reiki pelo tempo e espaço. Isso significa, em suma, que qualquer Mestre de Reiki pode iniciar qualquer um no planeta, a qualquer momento – no passado, no presente ou no futuro. Isso pode ser um pouco difícil de engolir, mas é verdade. Em segundo lugar, uma harmonização de Reiki pode iniciar diversos indivíduos na prática, contanto que seja enviada diretamente àquele grupo de pessoas. Em terceiro lugar, uma harmonização de Reiki pode ser ativada por meio de uma ação, uma afirmação ou qualquer ação resultante de um desejo que coloca um indivíduo ou grupo de indivíduos no caminho do intento da harmonização.

Esses três princípios não são amplamente conhecidos no mundo do Reiki e foram descobertos somente por meio de anos de experimentação intensa. Esse método novo de harmonizar pessoas com o Reiki não deve ser ignorado apenas porque nossos professores o desconhecem. Fiz experiências durante mais de uma década utilizando esse método com o consentimento dos indivíduos que anteriormente não haviam sido harmonizados com o Reiki. A cada momento, comprovou-se eficaz e demonstra a capacidade de expandir, de modo eficiente, o círculo de luz do Reiki a toda a humanidade.

Empregando os três princípios que destaquei anteriormente, agora sigamos em frente, rumo ao domínio da iniciação ao Reiki. Mas, por favor, leia todo o capítulo 3 antes de utilizar o cântico oferecido para alguém se harmonizar. É importante compreender as consequências de aceitar uma harmonização do Reiki e concordar com a troca de energia envolvida.

Capítulo 3

Primeiro Grau da Iniciação ao Reiki

Eu enviei uma harmonização de Reiki pelo tempo e espaço para todos os indivíduos que entoarem o Cântico de Harmonização do Primeiro Grau do Reiki posteriormente neste capítulo. Nesse momento, também fornecerei instruções e sugestões mais específicas para utilizar o cântico. Se você entoá-lo com a intenção de se harmonizar ao Primeiro Grau do Reiki, estará harmonizado na ação de expressar a frase. Isso funciona, pois a harmonização foi enviada pelo tempo e espaço para atingir alguém que entoa o Cântico de Harmonização do Primeiro Grau do Reiki enquanto manifesta a intenção de se harmonizar.

    O que você deve saber antes de pedir isso é que a harmonização modificará sua vibração por completo, elevando-a a um nível mais alto. Trata-se de uma experiência maravilhosa para algumas pessoas. Para todos, é uma experiência de cura; porém, para alguns indivíduos, tal experiência pode significar derrubar antigas paredes emocionais que reprimiram mágoas do passado. Às vezes, uma harmonização levará a mudanças radicais no modo de se alimentar, pensar, trabalhar e com quem nos relacionamos. Se você não estiver preparado para aceitar essa possível mudança, pode não ser sábio, neste momento, ir adiante com a harmonização.

Troca de energia para harmonização

O Reiki, tradicionalmente, exige alguma forma de troca energética para que se harmonize. Embora de fato acredite em troca de energia, não creio que sempre haja a necessidade de ser monetária, tampouco acredito que precisa ser dada diretamente ao Mestre de Reiki. A harmonização origina-se do Divino, e o que é importante é um ato de gratidão por esse presente. Em geral, o ato de gratidão pode visar ao Mestre de Reiki, o qual dedicou tempo e energia para executar o processo sagrado de harmonização. Esse conceito distorceu-se algumas vezes, levando algumas pessoas a pagar enormes quantias de dinheiro pelo direito de serem abençoadas com o Reiki. Embora quantias enormes de dinheiro não sejam necessárias, eu realmente acredito que algo deve ser dado em troca.

Uma vez que não estou abrindo mão de meu próprio tempo para harmonizar cada uma das pessoas que entoam o Cântico de Harmonização, de fato não sinto que seja correto pedir outra coisa além do que eu possa ganhar como autor deste livro. No entanto, acredito verdadeiramente que seja importante que cada indivíduo se comprometa antes de pedir a harmonização. Comprometa-se a fazer alguma boa ação ou doar dinheiro para a caridade. Por que não utilizar seu recém-descoberto dom do Reiki para ajudar a proporcionar cura às pessoas em uma casa de repouso ou para ajudar um animal ou uma planta que estejam em sofrimento? Sugiro que a melhor forma de você ampliar o círculo de luz curativa, além de mostrar ao Divino que você é grato por esse novo dom, é doar três horas de Reiki sem pensar ou exigir recompensa. Medite no que planeja fazer para completar a troca energética.

Preparação para harmonização

Quando estiver preparado, marque uma data na qual você deseja receber a harmonização do Primeiro Grau do Reiki. Você pode desejar aliar esse dia especial com um dia importante em seu próprio calendário espiritual – ou coincidir com as fases da Lua ou as estações climáticas. Em todo caso, reserve o dia inteiro para essa ocasião.

No dia escolhido para a harmonização, tome um longo banho de sal grosso pela manhã – isso o relaxará e também limpará sua aura. Após o banho, vista roupas mais confortáveis, algo largo e relaxante. Depois, vá até um cômodo silencioso ou a um local na Natureza que seja especial ou sagrado. Se você tiver um altar para sua própria prática espiritual, pode desejar sentar-se em frente a ele. Permita que seu Eu interior o guie para o melhor lugar para receber sua harmonização sagrada.

Embora não se exija, sugiro acender uma vela branca em honra ao dr. Usui, para devolver o dom do Reiki à humanidade no momento de nossa evolução. Apesar de ele não ter inventado nem ser a fonte do Reiki, foi por meio de sua busca espiritual que o Reiki retornou à humanidade. (Meus próprios guias espirituais afirmam que a humanidade teve capacidade para o Reiki em diversos momentos, em Atlântida e no Egito, e talvez em outros locais. O problema é que o ego e a arrogância humanos sempre atrapalharam, resultando em aristocracias espirituais em que a luz foi proibida a algumas pessoas, a fim de manter outras em uma posição de poder e controle. Vamos nos certificar de que aprendemos nossa lição cármica e permitamos que a luz se espalhe para todos desta vez.)

Além de acender uma vela para o dr. Usui, também sugiro acender uma para o Divino, em qualquer forma que você o veja. O Reiki realmente vem do Divino e, visto que esse ritual é para você, não há problemas em expressar sua gratidão pessoalmente.

A experiência de harmonização

Após acender as velas e entrar em seu espaço sagrado, permita-se aquietar sua mente. E, quando o espírito se dirigir a você, repita o cântico:

Abençoados Aqueles que nos trouxeram o Reiki
Abençoados Aqueles que continuam esta luz sagrada
Peço a harmonização do Primeiro Grau do Reiki
Bênçãos a todos
Bênçãos a mim

É necessário entoar o cântico apenas uma vez, mas, se você se sentir inspirado, pode expressá-lo quantas vezes desejar. Ao dizê-lo, você atinge a harmonização que foi enviada a todos que entoarem esse cântico com a intenção de se harmonizar. Embora algumas pessoas possam questionar a precisão de tal método de harmonização, foi testado diversas vezes desde que comecei a experimentá-lo, em 1995, e nunca falhou. Além disso, todos os Mestres de Reiki sabem que a única diferença entre as harmonizações de Primeiro e Segundo Graus é a intenção do Mestre de Reiki. Todos os Mestres de Reiki também conhecem o poder de determinados símbolos no Reiki para transcender tempo e espaço. Consequentemente, o conceito de intenção e o de transcendência de tempo e espaço já são inerentes ao Reiki. Tudo o que está acontecendo com esse método de harmonização é que tais conceitos são unidos por meio de um cântico como um veículo para ajudar a alcançar a harmonização às pessoas adequadas.

Uma vez harmonizado ao Primeiro Grau do Reiki, é possível que deseje passar algum tempo apenas sendo você. Em geral, os minutos preciosos após uma harmonização podem ser muito especiais. A depender de quão sensível você é à energia sutil, pode ou não sentir a diferença imediatamente em sua cabeça ou em suas mãos. Tente perceber que não há uma maneira correta para vivenciar a harmonização. Se as mudanças forem mínimas ou imperceptíveis, não tenha medo. Você foi harmonizado e agora a energia do Reiki fluirá através de suas mãos.

Quando a harmonização ocorre, é importante saber que a energia que flui por suas mãos aumentará mais à medida que as usar. Quando me harmonizei ao Primeiro Grau do Reiki, mal percebi qualquer mudança na energia que saía de minhas mãos, muito embora já fosse médium e curador energético. Mas, com o passar do tempo, a vibração tornou-se mais intensa. Algumas pessoas têm "mãos quentes" e notarão a mudança de imediato. Saiba que qualquer coisa que você sentir é correto. Trate esse dia como sagrado e saiba que sua vibração agora foi alterada para a vida, elevada a um nível mais alto.

Tradicionalmente, o ensinamento se dava logo após a harmonização sobre como utilizar o Reiki para si e como oferecer um tratamento de Reiki a outra pessoa. Mas, visto que você tem este livro e pode ir em seu próprio ritmo, pode desejar demorar-se na celebração dessa ocasião especial. Ou, caso prefira, você pode desejar seguir a tradição e imediatamente utilizar o Reiki em si. Faça como considerar adequado para você e permita que sua própria intuição seja seu guia.

Capítulo 4

O Autotratamento de Reiki

Uma vez sintonizado ao Reiki, a primeira coisa que você precisa aprender é como utilizar este sistema sagrado de energia para curar-se. O autotratamento de Reiki é bastante simples e pode ser utilizado sempre que necessitar. Sugiro veementemente que você o utilize pelo menos uma vez por dia, durante os 21 dias após a harmonização. Durante esse período de 21 dias, mudanças mais importantes geralmente ocorrem, por causa da mudança em sua vibração energética. Seu corpo pode estar liberando toxinas, lembranças emocionais antigas ou ajustando-se a condições novas que foram causadas pela vibração elevada. É importante auxiliar seu corpo durante esse período, proporcionando Reiki a si mesmo. Também sugiro beber muita água durante o período, pois auxilia os rins na liberação de toxinas que o corpo agora está preparado para desprender.

O processo de autotratamento

Para iniciar o autotratamento de Reiki, você deve se deitar confortavelmente em uma cama ou no chão; também pode ser realizado sentado em uma cadeira, mas a maioria das pessoas prefere deitar-se. Lave as mãos, de modo que fiquem limpas. A limpeza representa a entrada no espaço do tratamento de Reiki com uma intenção limpa e pura, além de ajudar a prevenir a contaminação dos olhos, visto que eles são a primeira parte do corpo tratada.

Olhos

Posicione as palmas das mãos suavemente sobre seus olhos, permitindo que descansem. Não aplique pressão.

Seus dedos devem estar unidos, e não abertos. Você não precisa fazer nada para o Reiki fluir e deve pensar nele como um rio Divino que você não consegue deter. Ele simplesmente fluirá, e tudo o que você precisa fazer é permitir. Mais uma vez, você pode não sentir nada no início. A maior parte das pessoas terá uma sensação de formigamento ou de aquecimento saindo das mãos, mas nem todas vivenciarão isso. Portanto, não se preocupe se você não sentir nada. Apenas permita que o Reiki faça o que precisa ser feito, lembrando-se de que está sendo direcionado pelo Divino e possui uma natureza inteligente. Mantenha essa posição durante três a cinco minutos.

Você pode perceber que sua respiração muda durante esse período. Eu geralmente tenho um suspiro profundo durante os primeiros minutos de um tratamento de Reiki. Você pode se sentir calmo ou seguro, possivelmente até sonolento. Lembre-se de que esse processo está acontecendo por seu intermédio e que não é sua energia, mas a do Divino que está proporcionando a cura. Apenas deixe fluir e acontecer, mesmo que isso signifique que você não sente nada. O importante é seguir isso, mantendo suas mãos na mesma posição.

Cabeça

Depois de tratar os olhos durante vários minutos, deslize as mãos para a lateral da cabeça, de modo que as palmas agora repousem sobre cada uma das têmporas. Mantenha as mãos ali durante outro período de três a cinco minutos. Com o passar do tempo, você finalmente sentirá o momento certo de mudar de uma posição para outra. Será capaz de ouvir a informação que vem até você por meio de suas mãos. No entanto, por hora, utilize o período de três a cinco minutos para cada posição.

Quando finalizar o tratamento às têmporas, deslize as mãos, de modo que suas palmas agora cubram as orelhas. Simplesmente deixe suas mãos repousarem, ao mesmo tempo em que deixa o Reiki fluir por três a cinco minutos.

Após trabalhar nas orelhas, deslize as mãos pelas mandíbulas. Esta é uma região ótima para trabalhar, caso você tenha problemas na articulação temporomandibular (ATM) ou dificuldades para expressar a raiva. Podemos, muitas vezes, guardar nossos sentimentos de raiva em nossas mandíbulas; e o Reiki pode ser muito útil na liberação de tensão dessa parte de nossos corpos. Mantenha essa posição pelo mesmo tempo que as demais posições.

Partes frontais do tronco

A seguir, inicie uma série de posições que são como duas listras, uma delas descendo pela parte inferior de cada lado da região frontal de seu tronco, levando as mãos às laterais da parte superior do peito, as pontas dos dedos repousando no meio da clavícula, entre o ombro e o pescoço, tanto no lado esquerdo como no direito do seu corpo. Ajuste esta posição à sua própria zona de conforto. Se você sentir algo como um estiramento ou qualquer coisa desconfortável, deslize as mãos de modo que não o estresse. Isso não é ioga, e devemos reconhecer nossas diferenças físicas para falar e ouvir o que é dito. O que funciona bem para mim pode não ser exatamente o que você precisa. Portanto, considere estas posições como sendo aproximações, e não alvos fixos. O Reiki possui inteligência e fluirá para onde for necessário.

Após trabalhar na parte superior do peito, deslize as mãos, cobrindo cada seio, executando Reiki especialmente nos pulmões e no tecido muscular adjacente. Seus dedos devem ainda estar unidos, e não abertos. Como nas demais posições, mantenha suas mãos no lugar durante três a cinco minutos. É importante trabalhar nos pulmões. Com frequência, comprovei que cinco minutos de Reiki podem pôr fim à congestão quando surgem os primeiros sintomas de bronquite.

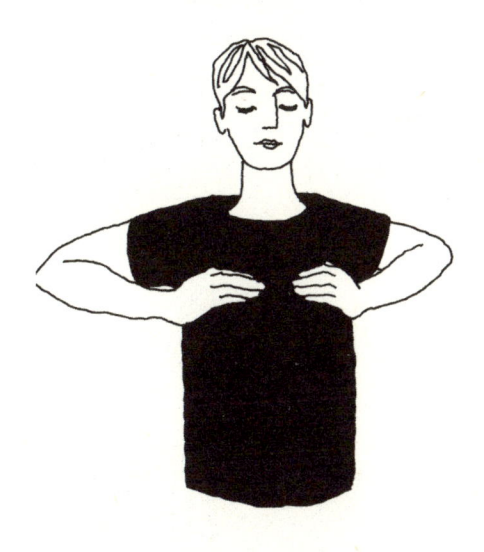

A próxima posição é a da caixa torácica inferior. Mais uma vez, deslize as mãos de modo suave, mantendo-as levemente para o lado, pois mais tarde você retornará e trabalhará a parte inferior da região frontal e a parte mediana do corpo.

A partir daí, depois de um período apropriado de tempo, deslize as mãos pelas laterais do abdome. Trate essa área durante três a cinco minutos.

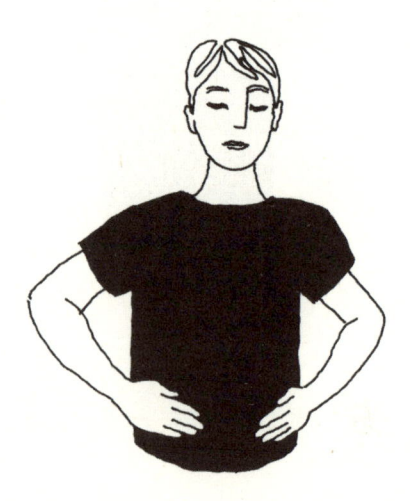

Como a última posição desta série, mas não de toda a sessão, coloque as mãos de modo que as palmas repousem na cintura, sobre as articulações do quadril. Mantenha essa posição durante três a cinco minutos. Agora você finalizou as duas faixas que descem as laterais de seu tronco.

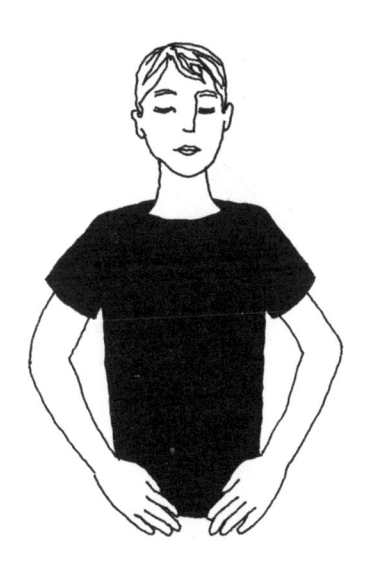

Centro do tronco

Retorne ao pescoço e agora trabalhe uma série de posições que cobrem o centro do tronco. Comece com as palmas pairando sobre a garganta, de 2,5 a 5 centímetros distante do pomo-de-adão. Essa região tende a ser muito sensível, e não é necessário tocá-la. O Reiki fluirá das palmas de suas mãos até a garganta. O contato direto não é necessário. (Na verdade, o contato direto nunca é completamente necessário. Conheci muitos reikianos que não tocavam nenhuma posição durante um tratamento de Reiki; quando possível, eu prefiro o contato direto, como a maioria dos reikianos. A maioria das pessoas gosta de sentir o calor da mão da qual o Reiki flui. Porém, se você preferir pairar as mãos em todas as posições, em vez de fazer contato direto, também funciona.) Mantenha essa posição durante três a cinco minutos. Essa região é extremamente importante para aqueles que necessitam trabalhar na expressão de suas emoções. Essa posição cobre o chacra da garganta – o centro de energia que governa a comunicação humana. Descobri que uma boa dose de

Reiki, nessa posição, é muito eficaz na limpeza da garganta inflamada e na melhoria de relacionamentos e amizades nas quais alguém não esteja se expressando.

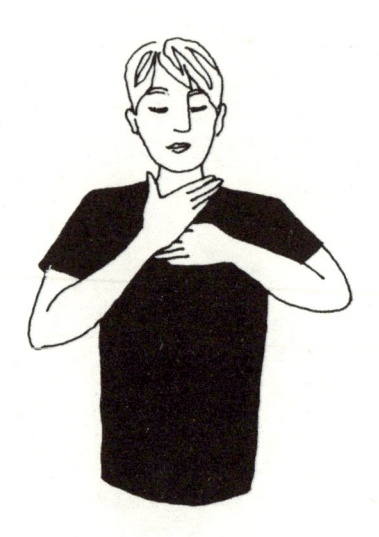

Após trabalhar na garganta, deslize as mãos para baixo, de modo que fiquem próximas uma da outra, as palmas cobrindo a região do chacra do coração, e não o coração físico. Esse chacra localiza-se no centro do peito, alguns centímetros abaixo do diafragma. Essa é uma região excelente para se trabalhar no auxílio à limpeza de problemas cardíacos, e o Reiki fluirá até o coração físico a partir dessa posição também. Mantenha essa posição por três a cinco minutos.

A seguir, deslize as mãos para baixo, de modo que ainda fiquem próximas uma à outra, cobrindo a região entre o umbigo e o diafragma. Isso cobre a região do seu chacra da força e ajuda a devolver uma sensação de determinação e poder, além de auxiliar a digestão. Mantenha essa posição durante três a cinco minutos.

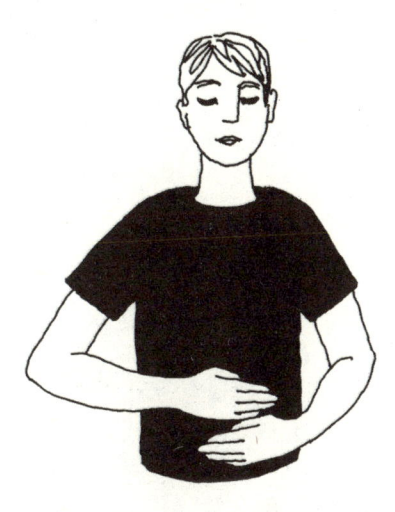

Para a posição seguinte, deslize as mãos para baixo, de modo que a região entre o umbigo e a pelve superior seja coberta. Aqui, o Reiki flui ao chacra que governa a sexualidade, auxiliando o fluxo criativo de uma pessoa. Mantenha essa posição por três a cinco minutos.

A última posição desta série, mas não de toda a sessão, envolve fazer um "T" com a mão esquerda pairando sobre os genitais, os dedos apontados horizontalmente em direção ao quadril direito; ao mesmo tempo, manter a mão direita com o pulso direito tocando a mão esquerda e os dedos da mão direita apontando para baixo, em direção ao ânus. Isso cobre tanto os órgãos sexuais quanto o chacra raiz – as regiões principais de nosso ser. Mantenha essa posição por três a cinco minutos.

Região posterior da cabeça e do tronco

Agora é o momento de executar o Reiki na nuca. Posicione ambas as mãos atrás da cabeça, de qualquer maneira que seja confortável. Mantenha essa posição por três a cinco minutos.

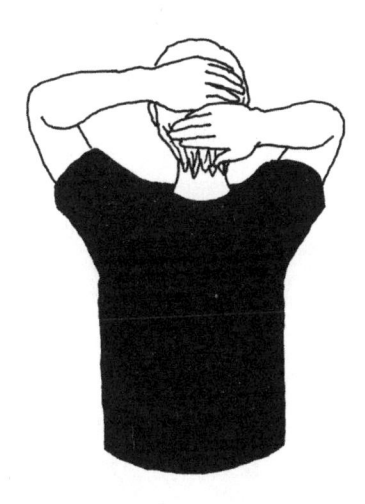

Após tratar a nuca, desça as mãos pelas costas, logo abaixo da caixa torácica. Aí o Reiki atingirá os rins e ajudará a eliminar toxinas liberadas pela harmonização e pela sessão de autotratamento. Mantenha essa posição por três a cinco minutos.

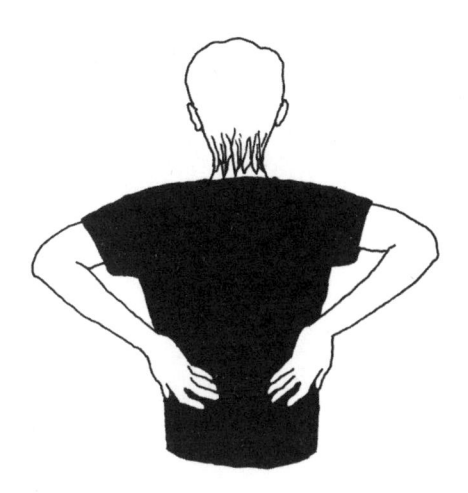

A seguir, deslize as mãos de modo que cubram o cóccix. Mantenha essa posição durante três a cinco minutos – ou mais, caso tenha predisposição a problemas na região inferior das costas.

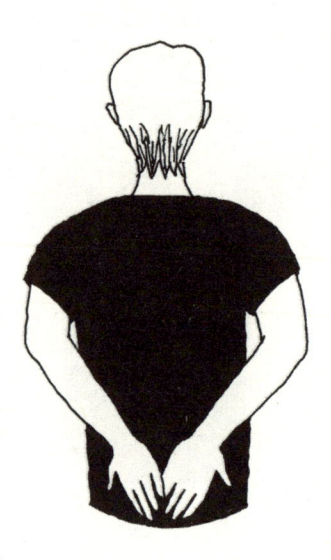

Joelhos e pés

Os joelhos são a posição seguinte. Posicione uma mão em cada joelho e deixe o Reiki fluir por três a cinco minutos.

A última posição envolve agarrar os arcos dos pés. Permita que o Reiki flua para essa região, o que ajuda a estabilizá-lo e retornar a um local centralizado ao fim do tratamento. Mantenha essa posição durante três a cinco minutos.

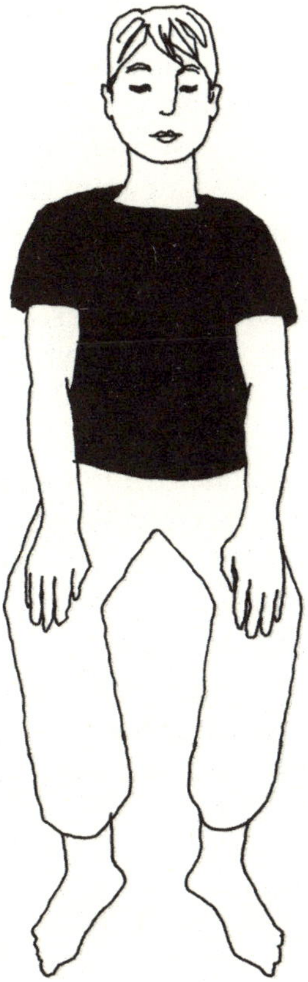

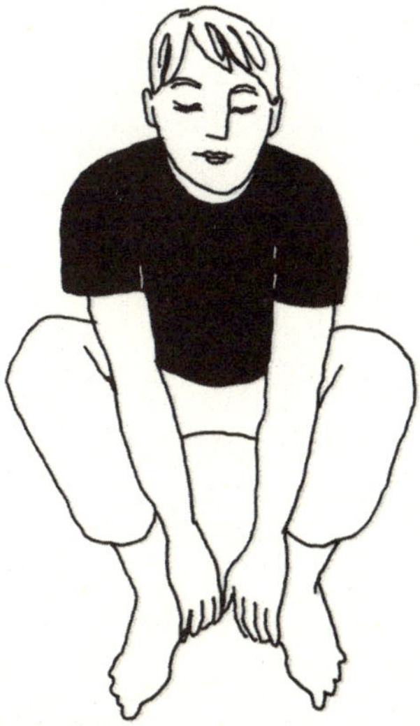

Após o autotratamento

Quando você finalizar um autotratamento de Reiki, agradeça a energia e os seres que lhe proporcionaram essa cura. Eu utilizo o termo "Seres do Reiki" para incluir qualquer Mestre de Reiki do passado e que me ajudou a trazer o dom do Reiki até mim. Também posso incluir anjos, Devas ou outros seres espirituais que me auxiliaram a ter esta capacidade de realizar o Reiki. Naturalmente, também considero o Divino um Ser do Reiki. Eu simplesmente digo: "Agradeço aos Seres do Reiki pelo dom da cura". A última coisa que faço após cada sessão é lavar as mãos. Isso carrega a mensagem simbólica de limpeza e libertação, além de servir a função física de limpar as mãos.

Uma observação importante é que você sempre tem de realizar um autotratamento completo para experimentar o Reiki. Você sempre pode posicionar a mão em qualquer região de seu corpo que pareça necessitar do Reiki, a qualquer momento, e permitir que o fluxo aconteça. Isso é especialmente verdade quando estiver doente ou ferido. O autotratamento deve ser realizado de forma regular, uma vez por dia. No entanto, não se limite a apenas executar o Reiki em si nessa sequência de autotratamento. Para mais usos diários do Reiki, veja o capítulo seguinte.

Capítulo 5

Usos Diários do Reiki

O Reiki é mais do que uma simples ferramenta para a autocura, é uma energia que pode nos conectar mais profundamente com o Divino, assim como com todos os seres com os quais interagimos. Ele pode até acentuar os nutrientes que colocamos em nossos próprios corpos. Uma Mestre de Reiki que me ensinou utilizava a analogia do ser do Reiki a uma tinta sagrada: toda vez que mergulhamos nele o tecido de nosso ser, nossa própria natureza sagrada revela-se ainda mais. Sustentando-se a analogia dela, a seguir há algumas sugestões breves de como mergulhar ainda mais fundo no Reiki em nosso dia a dia.

Tratamentos de Reiki para os alimentos

Uma extensão dos tratamentos de Reiki em si mesmo é realizá-los em tudo o que você comer. Os alimentos nos fornecem não apenas nutrientes, mas as vibrações deles se tornam parte de nós também. Se nosso alimento vibra de um local de amor e luz, então naturalmente será mais benéfico para você. Realizo Reiki em minha comida simplesmente segurando minhas mãos alguns centímetros acima de uma refeição que irei ingerir. O Reiki fluirá para dentro da comida exatamente como flui para nossa garganta quando seguramos nossas palmas das mãos a alguns centímetros dela durante um tratamento. O Reiki também adentrará uma xícara ou um copo com qualquer bebida que você deseja tratar antes de consumir. Eu não posso afirmar que o sabor de fato mude, mas o alimento realmente possui certa qualidade quando tratado com Reiki. Essa qualidade é algo tangível, que afeta tudo o que você é, uma vez que o alimento está – literalmente – tornando parte de você. Alguns Mestres de Reiki recomendam longos tratamentos para os alimentos antes da ingestão com o intuito de purificar o corpo de toxinas e doenças.

Reiki para plantas, animais e objetos inanimados

Você também pode fornecer o Reiki a plantas, animais e objetos inanimados. Eu frequentemente forneço Reiki a árvores enquanto estou caminhando, em especial em uma cidade em que elas são retiradas de florestas ou de grandes áreas naturais. Após algum tempo, você pode se tornar sensível ao fato de que árvores que crescem em um caminho pequeno de sujeira próximo a uma calçada geralmente têm uma força vital relativamente mais fraca quando comparada à energia de uma árvore na floresta. Árvores, plantas cultivadas em casa e flores de jardim podem, todas, utilizar o Reiki. Ao oferecer o Reiki, ele flui através de você, de modo que você também o recebe.

Os animais são, em geral, receptivos ao Reiki também. Realizei o Reiki em diversos cães, os quais caíram no sono durante o tratamento. Eu simplesmente coloco minhas mãos onde o animal permitir e deixo o Reiki fluir. Em algumas ocasiões, os animais não compreenderam o que estava acontecendo. Se um animal ficar com medo ou confuso, finalize o tratamento imediatamente. Não importa qual cura você possa estar trazendo ao animal, ela será contrabalanceada pela confusão que aquele estiver vivenciando.

Objetos inanimados podem ser tratados com Reiki, a fim de melhorar sua capacidade funcional. Ouvi relatos de pessoas que ativaram baterias de carro arreadas com o Reiki. E, embora não possa afirmar que vivenciei isso pessoalmente, ajudei a dar partida em alguns cortadores de grama com um breve tratamento de Reiki a uma máquina que minutos antes não estava funcionando. Como isso funciona exatamente, não sei dizer. Talvez quando doutores em física nuclear e engenharia elétrica se tornarem Mestres de Reiki, tenhamos uma compreensão maior dessa dinâmica. Meu palpite é que as mudanças ocorridas em um nível molecular durante um tratamento de Reiki são suficientes, em certos casos, para modificar e eliminar alguns problemas elétricos. Reiki não irá consertar uma janela quebrada ou um pneu furado, mas utilizá-lo em equipamentos pode, aparentemente, auxiliar seu funcionamento, além de servir para mantê-lo usando e fluindo com esse dom maravilhoso.

Capítulo 6

Tratamentos de Reiki para Família e Amigos

Quero enfatizar que este livro carrega o poder de harmonizá-lo ao Reiki, e meu foco é levar o Reiki para seu dia a dia. Como afirmei anteriormente, se você deseja se envolver profissionalmente com o Reiki, faça um treinamento profissional. Não existe nenhum substituto para a atenção individualizada à sua técnica e respostas às perguntas que você está prestes a ter quando seguir o caminho de se tornar um reikiano. Ler este livro e solicitar as harmonizações fornecidas não o qualificam, de fato, a cobrar por seus serviços, da mesma forma que fazer exercícios de um livro de massagem não o qualifica a ser um massoterapeuta.

O lado negativo dessa questão é que devemos recorrer a um maior senso de comunidade se a humanidade prosperar ou até sobreviver. Incentiva-se que utilize o Reiki para ajudar aquelas pessoas próximas a você a manter a saúde. Esperamos que o tratamento a seguir fomente um senso de pessoas cuidando umas das outras e que não seja usado para promover ganho financeiro pelo praticante não treinado.

O praticante não treinado deve ser alertado também que aceitar esse dom do Divino com a intenção manipuladora de fingir ser um reikiano plenamente treinado carrega o peso de carma negativo grave. Você não pode se beneficiar de tal ação, e meu alerta não deve ser ignorado. As poucas vezes em que testemunhei pessoas envolvidas em qualquer tipo de ato ilusório que envolvesse a aceitação de uma harmonização de Reiki, as consequências foram graves. Aquele que você tentaria enganar é O Que Tudo Vê e Todo-Poderoso. Não subestime esta advertência.

Portanto, você deve ser um amigo ou parente da pessoa na qual estiver trabalhando. Se a pessoa a ser tratada estiver doente ou sofrendo de uma condição específica, você provavelmente estará ciente disso. No entanto, ainda é sábio perguntar se há algo específico que a pessoa deseja obter com a cura. Sua avó pode estar sofrendo de dores no pescoço, mas você pode descobrir – ao conversar com ela – que deseja a sessão mais para ajudá-la a superar a influência incômoda de um membro da família específico. De qualquer maneira, pergunte, ouça e deixe o Reiki responder.

Descobri que o Reiki é realmente inteligente, e que o problema verbalizado sempre será destinado de alguma forma durante o tratamento. Ele pode não curar o problema por inteiro, mas abrirá o caminho para que essa cura siga adiante.

Preparação para o tratamento

O local em que o tratamento é realizado é extremamente importante: um ambiente silencioso e tranquilo no qual a pessoa que recebe o tratamento possa deitar confortavelmente é melhor. No melhor cenário, você usaria uma maca de massagem em uma sala silenciosa e com luz suave que oferecesse um ambiente de serenidade. Porém, nem todos dispõem desse luxo; portanto, utilize seu melhor julgamento ao decidir qual espaço utilizar para o tratamento.

A pessoa a ser tratada deve vestir roupas confortáveis e deitar-se em uma cama ou colchonete no chão. Como disse anteriormente, o Reiki é mais bem realizado em uma mesa de massagem, mas, como não é uma sessão profissional, é provável que a maioria das famílias não tenha uma à disposição. A pessoa tratada deve estar, inicialmente, deitada de costas, com os braços e as pernas descruzados. Peça para ela retirar óculos, sapatos, relógios e qualquer joia. Espera-se que você tenha um travesseiro e um cobertor disponíveis. O travesseiro, naturalmente, ficará embaixo da cabeça da pessoa, enquanto o cobertor deve cobrir os pés, pois você não deseja que os pés dela fiquem frios.

Como nas sessões realizadas em você mesmo, lave as mãos para simbolizar a entrada de um espaço limpo e puro de intenção, assim como para evitar contaminação dos olhos da pessoa durante a primeira posição.

O processo de tratamento

O tratamento de Reiki é um processo sagrado durante o qual o curador age como uma veia para a Energia Divina que flui através dele ou dela para a pessoa sendo curada. O Reiki é, ao mesmo tempo, simples e Divino. É importante lembrar que a energia está vindo através de você, e não de você. Ao realizar um tratamento de Reiki, você também está recebendo o Reiki.

Oração

Inicie a sessão com uma oração breve, pedindo que a sessão seja para o bem maior de todos. Eu geralmente falo para mim, e não em voz alta.

Limpe a aura

Depois de fazer sua oração, comece limpando a aura com suas mãos muito lentamente, da cabeça aos dedos dos pés, certificando-se de que você não vá dos dedos dos pés até a cabeça. O objetivo disto é aliviar a aura, o que tem um efeito muito tranquilizador na maioria das pessoas. Ir na direção contrária, na verdade, perturba a aura.

Para limpar a aura, simplesmente mantenha as mãos a alguns centímetros do corpo físico da pessoa, as palmas das mãos voltadas para baixo. Você pode desejar fingir que a pessoa é como um grande gato, com pelos invisíveis que se estendem cerca de 15 centímetros ou mais do corpo físico. Embora a aura seja muito mais ampla do que isso, descobri que essa distância é uma boa medida para esta técnica. Ao usar a imagem de um gato grande, apenas finja que você está acariciando esse pelo imaginário e desfazendo qualquer confusão. Com o tempo, você passará a ficar sensível a obstáculos no campo energético, exatamente como pode observar tufos de pelo ao acariciar um gato. A analogia é muito próxima. Quanto mais você afaga esses amontoados, mais eles se suavizam.

Eu geralmente utilizo três toques longos e lentos pela aura, da cabeça até os dedos dos pés. Quando chego aos pés, puxo minhas mãos para fora da aura da pessoa, de modo que não a franza quando retornar para cima, até a cabeça. Suavize a aura três vezes, certificando-se de que em todas as vezes esteja sendo tranquilo e lento. Limpezas rápidas pela aura podem ser assustadoras e desconfortáveis para as pessoas, em especial aquelas que são extremamente sensíveis a energias.

Olhos

Após suavizar a aura, coloque as mãos levemente, com as palmas cobrindo os olhos da pessoa. Você pode fazer isso detrás da cabeça, de modo que seus dedos estejam apontados para baixo, em direção ao queixo da pessoa, os polegares repousados próximo ao nariz. Evite aplicar pressão no nariz ou bloquear a capacidade respiratória da pessoa.

Deixe o Reiki fluir de suas mãos durante três a cinco minutos. Você não precisa visualizar nada ou fazer algo para impulsionar o rio Divino de energia. Sua mente, em geral, se acalmará à medida que o Reiki fluir através de você para chegar à pessoa em que estiver trabalhando. Apenas esteja no espaço de permitir que o Divino realize essa cura por meio de você. Nada mais é exigido.

Cabeça

Após tratar os olhos durante o período solicitado, deslize as mãos suavemente, de modo que as palmas agora estejam cobrindo as têmporas da pessoa. Permita que o Reiki flua através de suas mãos durante três a cinco minutos ali. Lembre-se: exatamente como quando você está realizando um autotratamento, seus dedos devem estar unidos, e não abertos.

Quando trabalho na cabeça de uma pessoa, às vezes sinto algo em relação ao que estão pensando, talvez questões ou problemas que dizem respeito a elas. Estar harmonizado ao Reiki não o torna um conselheiro profissional. Se você realmente sente os pensamentos da pessoa, apenas sugiro deixar essas impressões se movimentarem através de você com o Reiki. Se uma imagem forte continuar a surgir e você tiver uma sensação muito forte de que se trata de uma informação que a pessoa precisa tomar conhecimento, espere até o término da sessão e pergunte se a pessoa gostaria de saber alguma impressão que você recebeu durante a sessão. Elas podem dizer não, uma vez que concordaram com uma sessão de Reiki e não com uma leitura paranormal. Se a pessoa disser não, sempre respeite seus desejos. Faz parte do espaço de cura sagrado em que você está entrando respeitar o livre-arbítrio da pessoa na qual você está trabalhando. Porém, se ele ou ela disser sim, transmita suas impressões de modo que seja gentil e respeite os limites dessa pessoa.

Após tratar as têmporas da pessoa, deslize suas mãos de modo que as palmas cubram as orelhas. Mantenha essa posição durante três a cinco minutos.

Uma vez tratadas as orelhas, deslize as mãos de modo que os dedos acompanhem as mandíbulas, em ambos os lados, apontando em direção ao queixo. Suas palmas devem estar próximas à articulação mandibular, dos dois lados. Novamente, como em um autotratamento, essa é uma região excelente para trabalhar em uma pessoa que guarda raiva não expressada ou tensão física.

Depois de tratar as mandíbulas por completo durante três a cinco minutos, vire a cabeça da pessoa suavemente para um lado, a fim de que você possa deslizar uma mão sobre a cabeça dela. Então, vire suavemente a cabeça da pessoa para o outro lado e também deslize sua outra mão sob a cabeça. O crânio da pessoa agora está repousando nas palmas de suas mãos, o Reiki fluindo diretamente para a parte posterior do cérebro.

Descobri que a maioria das pessoas gosta mesmo de ter essa região trabalhada. Com frequência, pessoas que parecem estar impedindo o fluxo do Reiki para dentro de seus corpos se renderão a esse ponto e se permitirão a, de fato, deixar o Reiki entrar. Você deve ouvi-las dar um suspiro profundo, caso já não tenham dado. A respiração irá relaxar em um ritmo mais profundo e tranquilo. Essas coisas geralmente acontecem no início da sessão, mas de vez em quando algumas pessoas resistem em permitir que o Reiki flua para dentro delas. Qualquer que seja o motivo, elas apresentam dificuldades em permitir-se receber.

Ocasionalmente você pode tratar pessoas que, em algum nível, realmente não querem o Reiki. Pode sentir suas mãos muito quentes e que o Reiki está fluindo através de você de modo muito forte, mas nada parece acontecer à pessoa sendo tratada. A respiração do indivíduo não fica profunda e ele ou ela parecem não relaxar. Se isso ocorrer, apenas saiba que a pessoa escolheu, em algum nível, não permitir que o Reiki entre. O Reiki não violará o livre-arbítrio e não entrará se a pessoa realmente não desejar. Não há necessidade de se culpar quando isso ocorrer. Apenas perceba que é parte da escolha de livre-arbítrio da pessoa, e que você fez sua parte ao oferecer suas mãos a serviço do Divino. Não culpe a pessoa por fazer essa escolha, pois provavelmente foi feita em um nível subconsciente. Apenas permita à pessoa o espaço para que tenha sua própria experiência e reação, sabendo que você fez o seu melhor.

Ombros

Após tratar a nuca por três a cinco minutos, deslize delicadamente as mãos para abaixo do crânio da pessoa e posicione-as nos ombros dela. Os meridianos da acupuntura se estendem a partir dos ombros, descendo pelas pernas e pelos pés. Essa é uma das posições nas quais o Reiki geralmente será sentido por todo o corpo pela pessoa que está recebendo o tratamento, pois a energia muitas vezes se movimenta como um rio que flui através desses meridianos. Mantenha essa posição durante o período de três a cinco minutos, com os dedos unidos e certificando-se de que esteja confortável pelo modo como seu próprio corpo está posicionado.

As pessoas podem sentir se você está estressando o corpo ou desconfortável ao realizar um tratamento de Reiki. Seu conforto não é algo a ser ignorado quando fornecer Reiki. Embora eu prefira ficar em pé ao trabalhar próximo a uma mesa ou casa e agachar-me quando no chão, algumas pessoas preferem utilizar uma cadeira, travesseiros ou qualquer coisa necessária para se manterem confortáveis. Isso torna a sessão uma experiência prazerosa para ambas as partes. Utilize seu próprio bom senso para decidir o que você precisa fazer para manter seu conforto, contanto que não seja à custa da pessoa em que você estiver trabalhando. Deixar-se próximo a alguém ou invadir seu espaço pessoal não é a solução adequada. Esteja ciente tanto de suas necessidades como as da pessoa que você está tratando e utilize o bom senso.

Parte frontal do tronco

Uma vez tratados inteiramente os ombros da pessoa, é o momento de decidir em qual lado você deseja estar ou quando tratar o restante do corpo. Mova de trás da cabeça para o lado esquerdo ou direito do tronco. Não importa qual seja o lado, contanto que a pessoa em que você estiver trabalhando esteja confortável.

Agora, coloque uma mão na parte superior do esterno, logo abaixo do pescoço da pessoa. Posicione a mão esticada e repouse a outra mão em um ângulo de 45 graus sobre ela, de modo que esteja inclinada alguns centímetros em relação à garganta. Isso permite que você segure sua mão perto da garganta da pessoa sem diretamente tocar essa parte. Como no autotratamento de Reiki, você deseja evitar contato direto com a garganta, que é extremamente sensível. Permita que o Reki flua aí por três a cinco minutos.

Para a próxima posição, se você estiver trabalhando em um homem, posicione as mãos sobre o centro do peito dele, permitindo que o Reiki flua para o coração e os pulmões. Se você estiver trabalhando em uma mulher, pode preferir manter uma mão no esterno e a outra sobre ela, em um ângulo de 45 graus, em direção ao peito dela, de modo que os dedos estejam apontados para baixo e voltados para as pernas, pairando sobre o coração, mas sem tocá-lo. Em suma, você está realizando a mesma formação em "T" sobre os seios que você empregou quando tratava seus genitais e chacra raiz durante o autotratamento de Reiki. Dependendo da zona de conforto entre você e a pessoa tratada, essa posição alternativa pode ou não ser necessária. Se a zona de conforto estiver em questão, utilize a formação em "T".

Após trabalhar no coração e no peito, movimente suas mãos suavemente até a parte inferior da caixa torácica, em ambos os lados da pessoa. Permita que o Reiki flua aí por três a cinco minutos.

Agora, movimente suas mãos de modo que estejam cobrindo o abdome, abaixo do umbigo. Trate essa região por um período de três a cinco minutos. Quando você tiver terminado o trabalho abaixo do umbigo, deslize as mãos de modo que cubram o abdome, entre o umbigo e a pelve. Permita que o Reiki flua aí por outro período de três a cinco minutos.

Indo para a pelve, prefiro colocar as mãos nas laterais dos quadris e permitir que o Reiki flua através de minhas mãos, cobrindo a pelve por inteiro. O Reiki irá fluir de modo muito intenso entre suas mãos, de um lado a outro da pelve. Dessa forma, essa técnica permite um tratamento completo da pelve sem transgredir os limites sexuais de alguém. Trate durante o período comum de três a cinco minutos.

Joelhos e pés

A seguir, desça até os joelhos e posicione uma mão em cada um. Permita que o Reiki flua aí durante o tempo usual. Se alguém parecer sofrer de problemas no joelho, tratarei cada joelho individualmente com ambas as mãos, posicionado uma mão sobre o joelho e a outra abaixo. Em tais casos, trato cada joelho durante três a cinco minutos, mas você normalmente pode tratar ambos os joelhos ao mesmo tempo durante o período comum de três a cinco minutos.

Quando terminar o tratamento nos joelhos, desça até o pé da pessoa e agarre cada arco, permitindo que a curva de sua mão abrace a curva do arco de cada pé. Mantenha essa posição durante três a cinco minutos e, depois, peça gentilmente que a pessoa vire e fique com o rosto para baixo.

Parte posterior do tronco

Uma vez estando a pessoa de bruços, suba e trate a parte posterior das escápulas. Essa posição também flui o Reiki, mais uma vez, para os pulmões. Mantenha essa posição durante o período de três a cinco minutos.

O chacra da parte posterior do coração é, talvez, a melhor região para tratar alguém que sente tristeza ou aflição, ou que simplesmente precisa chorar.

As pessoas geralmente tentarão reprimir os sentimentos quando ficarem de frente para você durante o tratamento. Porém, quando virarem para baixo, seus olhos estarão protegidos de você e a maioria das pessoas parecerá mais capaz de se deixar levar a essa altura. Trate o chacra da parte posterior do coração após trabalhar as escápulas. Apenas segure ambas as mãos no centro das costas, entre as escápulas. O tratamento deve durar os usuais três a cinco minutos, a menos que a pessoa esteja vivenciando o tipo de liberação emocional mencionada anteriormente. Nesses casos, recomendo manter a posição o tempo suficiente para permitir que a pessoa chegue plenamente à liberação emocional.

Quando terminar de trabalhar na parte posterior do chacra do coração, deslize as mãos para baixo, logo abaixo da parte inferior da caixa torácica. Essa região permitirá que o Reiki flua diretamente aos rins. Trate essa região por três a cinco minutos.

A próxima posição é a única que não possui um período de execução. Chama-se "equilibrando a coluna" e exige a colocação de uma mão no cóccix e a outra na vértebra C-7, onde o pescoço se une ao tronco. Permita que o Reiki flua através de suas mãos, e você observará que uma mão ficará mais quente ou mais vibrante do que a outra. Mantenha essa posição até que ambas as mãos fiquem com a mesma temperatura e vibração. Quando suas mãos entrarem em harmonia dessa forma, significa que a energia da coluna está equilibrada.

Parte posterior dos joelhos e pés

A posição seguinte é a da parte posterior dos joelhos. Trate essa região por três a cinco minutos, mesmo se tiver tratado cada joelho individualmente antes.

A posição final envolve retornar aos pés e, mais uma vez, encaixar a curva de sua mão com o arco de cada pé. Mantenha essa posição durante todos os cinco minutos e permita que a pessoa tenha tempo de estabelecer sua energia.

Limpe a aura novamente

Termine a sessão novamente limpando a aura três vezes, aplicando limpezas lentas e suaves. Após a terceira limpeza, posicione as mãos unidas, como se estivesse pronto a orar, e vire as pontas dos dedos para baixo, em direção à coluna, na base do cóccix da pessoa, não a tocando de fato, e sim a alguns centímetros distantes. Imagine um feixe de *laser* vermelho saindo das pontas de seus dedos e entrando na coluna da pessoa.

Movimente de forma lenta, mantenha a mão flutuando sobre a coluna e vá em direção ao crânio, imaginando o feixe de *laser* vermelho ainda saindo de suas mãos e entrando na coluna. À medida que você movimenta essa linha vermelha para cima, subindo pela coluna, ajuda a revitalizar a energia da pessoa e a trazê-la para mais perto de um estado de consciência desperta normal.

Agradecimento e encerramento da sessão

Quando você alcançar a base do crânio, vire as pontas dos dedos para o céu e agradeça mentalmente a pessoa por permitir que você realizasse esse tratamento. Além disso, agradeça mentalmente a você por fazer parte desse processo. Conclua com graças ao Divino e a todos os Seres do Reiki. Então, esfregue uma mão na outra para significar que o tratamento chegou ao fim. Diga calmamente à pessoa para que se levante quando estiver pronta. Depois, lave as mãos.

Após lavar as mãos, você pode desejar ver a pessoa que acabou de ser tratada. Veja como está e ofereça a ela um copo de suco ou água. Lembre-se: uma sessão completa de Reiki pode deixar as pessoas se sentindo tão maravilhosamente relaxadas que é possível não pensar em cuidar de si mesmas. Porém, a inserção de fluidos no corpo após uma sessão ajuda o corpo a eliminar toxinas que são liberadas pelo tratamento. O impacto completo do tratamento pode durar até três dias, portanto incentive a pessoa tratada a ingerir muito líquido nesse período.

Tratamento intuitivo

O tratamento a seguir é um guia, e não uma regra fixa. Você deve, provavelmente, permanecer fiel a ele até vir a confiar e ouvir suas mãos. Elas finalmente saberão aonde ir. Você intuitivamente saberá onde posicioná-las durante uma sessão, o que pode significar também manter algumas posições por longos períodos de tempo ou encontrar algumas não mencionadas no tratamento a seguir. Ouvir suas mãos é algo que demanda prática.

Embora não incluída nas posições tradicionais de mão, eu geralmente me vejo sendo chamado para aplicar Reiki no cotovelo ou no braço de uma pessoa apenas para, mais tarde, descobrir que a pessoa sofreu recentemente uma lesão nessa parte. O Reiki é inteligente e se comunicará com você através de suas mãos e, talvez, de outros sentidos também. No entanto, isso leva tempo e uma disposição para confiar e ouvir, mas o esforço é válido. Algumas vezes, até recebo mensagens audíveis que sugerem mudanças na dieta ou na atitude da pessoa em quem estou trabalhando. Quando compartilho essas mensagens, elas sempre parecem repercutir muito claramente na pessoa.

Há uma diferença entre receber mensagens e ouvir os pensamentos de uma pessoa. Os pensamentos de uma pessoa são dela, e não um lugar para ir, a menos que seja convidado a compartilhar o que obtive.

Mensagens, no entanto, são algo que me sinto na obrigação de compartilhar.

No início, contudo, você deve simplesmente concentrar-se em fazer um tratamento perfeito, certificando-se de que todas as posições foram tratadas pelo período de três a cinco minutos.

Assim como no autotratamento de Reiki, perceba que não há problemas em fornecer a uma pessoa um tratamento limitado para uma região específica. Você não precisa sempre fornecer um tratamento de corpo inteiro, em especial se existem restrições de tempo. Se alguém sofre de dor de estômago e precisa de uma sessão de um minuto no estômago, para ajudá-lo durante o dia, posicione suas mãos sobre o estômago. Não se sinta forçado a fornecer um tratamento de corpo inteiro todas as vezes em que você utilizar o Reiki. Um tratamento de corpo inteiro de Reiki é ideal, mas nem sempre possível.

Capítulo 7

Tratamentos em Grupo

O Reiki em grupo pode ser um dos aspectos mais prazerosos da prática. Quando mais mãos são colocadas em uma pessoa, o Reiki parece ser amplificado de modo exponencial. Quando se trata alguém em uma sessão de grupo, você pode, em geral, obter o mesmo nível energético de cura em dez minutos, o que normalmente demoraria uma sessão inteira. Há armadilhas, no entanto. Isso ocorre com mais frequência quando os egos competitivos das pessoas que realizam o Reiki interferem. Uma pessoa, às vezes, pode desejar "assumir o controle", transformando o espaço de cura em um espaço de ego. Ou então o posicionamento das mãos não está em sequência, pois nem todos os envolvidos tiveram o mesmo Mestre de Reiki ou receberam os mesmos ensinamentos. Isso leva a uma sensação de confusão dentro do grupo que é, muito frequentemente, sentida pela pessoa em que se está trabalhando.

Coordenando um grupo de tratamento

A forma mais eficiente que testemunhei para evitar problemas dentro de um grupo de tratamento é decidir de antemão exatamente quanto tempo cada tratamento terá. Uma pessoa realiza a limpeza da aura; então, a depender da quantidade de mãos praticantes de Reiki disponíveis, cada pessoa mantém apenas uma posição, enquanto a pessoa tratada está virada para cima. Mesmo que haja apenas dois reikianos trabalhando em alguém, ter uma pessoa trabalhando nos olhos e outra nos pés envia Reiki suficiente por todo o corpo para ser eficaz. Lembre-se: o tratamento é extremamente amplificado à medida que mais mãos são acrescentadas. Se uma terceira estiver disponível, ele/ela pode trabalhar no abdome. Se mais estiverem à disposição, você pode ter duas pessoas dos lados esquerdo e direito do corpo, trabalhando no chacra do coração e no chacra da força simultaneamente, enquanto as outras duas estão na cabeça e nos pés. Mudar de uma posição a outra é simplesmente desnecessário em um tratamento de grupo.

Quando o tratamento da parte frontal chegar ao fim, peça que a pessoa se vire lentamente. Em seguida, faça um tratamento geral pela coluna. A sensação é fabulosa e, talvez, seja a melhor experiência que já tive no Reiki. Apenas tenha à disposição mãos de Reiki alinhadas por toda a coluna da pessoa. Manter essa posição por apenas alguns minutos proporciona uma experiência inacreditável para quem está recebendo o tratamento. Quando concluírem, tenha uma pessoa que não participou da sessão para que trabalhe nos pés, tranquilize a aura e acrescente o chamado final da luz vermelha à coluna.

Sem mudanças no posicionamento das mãos e entrando-se em um consenso, de antemão, de qual deve ser a duração da sessão, problemas em relação ao controle e ao ego são menos prováveis de surgir.

Seja simples, e um tratamento em grupo pode ser um presente verdadeiro para todos os envolvidos.

Capítulo 8

Símbolos do Segundo Grau do Reiki

Três símbolos são tradicionalmente ensinados no Segundo Grau do Reiki. Tais símbolos são utilizados para intensificar o fluxo do Reiki, invocar cura mental ou proteção e enviar o Reiki através da matriz de tempo/espaço. A capacidade de mudar a vida de alguém com esses três símbolos é imensa.

Cho Ku Rei

O primeiro símbolo é o do poder, chamado Cho Ku Rei. É utilizado para intensificar o fluxo do Reiki. Ao se fazer um tratamento com mãos, aumenta o calor ou a vibração do Reiki que flui através das mãos de uma pessoa. Um diagrama do símbolo é mostrado a seguir. Cada um dos símbolos tradicionais do Reiki é para ser desenhado de um modo particular. Com uma caneta e papel, pratique desenhar Cho Ku Rei, como mostrado pelos números e setas no diagrama à direita, na página 57.

Recomendo preencher uma ou duas folhas de papel com o símbolo. Você não pode acessar o poder deste símbolo até que esteja harmonizado ao Segundo Grau do Reiki, mas saber como desenhá-lo o ajuda a internalizar a imagem, de modo que consiga visualizá-la durante tratamentos depois de harmonizado ao Segundo Grau do Reiki. Visualizar o símbolo e entoar seu nome, tanto mentalmente como em voz alta, são as maneiras como o poder do símbolo é acessado quando você estiver harmonizado ao Segundo Grau do Reiki.

Por hora, apenas pratique o desenho do símbolo e cante o nome. Mais tarde você aprenderá mais sobre como utilizá-lo.

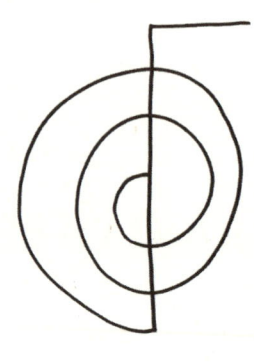

Cho Ku Rei

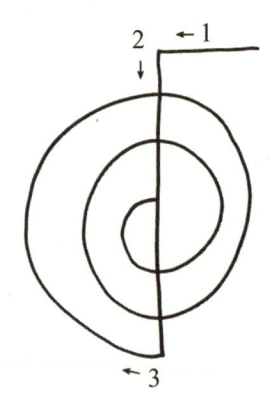

O símbolo é desenhado dessa maneira

Sei He Ki

O segundo símbolo do Reiki chama-se Sei He Ki e pronuncia-se "sei rei qui". Este símbolo é utilizado para a cura mental e emocional e pode ser empregado também na proteção. Em ambos os casos, precisa ser intensificado pelo símbolo Cho Ku Rei para que tenha eficácia. Como isso é feito, será descrito posteriormente. Mas lembre-se de que, usado por si só, é como uma lanterna sem pilhas. Você deve utilizar este símbolo

Sei He Ki

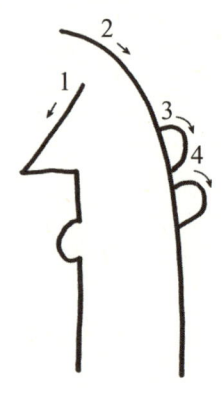

O símbolo é desenhado dessa maneira

em conjunto com o Cho Ku Rei, para que tenha força. No entanto, uma vez intensificado, Sei He Ki pode ser utilizado para desfazer as feridas emocionais mais profundas e dar esclarecimentos quanto à verdadeira natureza das confusões emocionais. Eu o utilizei quando nenhum médium ou xamanista pôde me ajudar, e descobri que é um remédio verdadeiro no qual confio para todos os problemas da mente e do coração. Assim como no caso do Cho Ku Rei, pratique o desenho e o canto deste símbolo.

Pratique desenhar o símbolo como indicado pelos números e setas.

Hon Sha Ze Sho Nen

O terceiro símbolo é o mais místico dos três. Chama-se Hon Sha Ze Sho Nen e permite que alguém envie o Reiki através de todo o tempo, todo o espaço e todas as dimensões. É muito mais complexo para desenhar do que os outros dois.

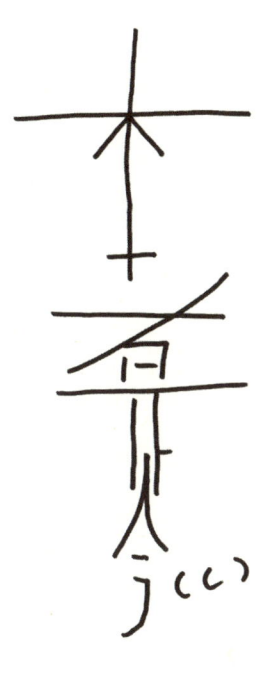

Hon Sha Ze Sho Nen

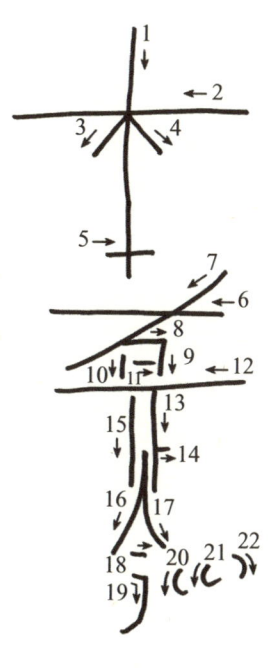

O símbolo é desenhado dessa maneira

Pratique entoar o nome do símbolo e desenhá-lo. Este provavelmente demorará algum tempo para ser memorizado. Certifique-se de que você siga cada linha da direita e desenhe na direção certa.

Você deve passar um dia ou dois realmente aprendendo os símbolos antes de seguir para a harmonização do Segundo Grau do Reiki. Uma vez assimilado os símbolos e partido para a harmonização, você terá uma maneira profunda de aumentar o poder de sua vida de curar feridas do passado. O único limite real para utilizar o Segundo Grau do Reiki é sua imaginação. Contanto que você honre o livre-arbítrio de outros seres, sua capacidade de utilizar esses símbolos é infinita. Técnicas para seu uso e sugestões de exercícios podem ser encontradas nos capítulos seguintes.

Capítulo 9

Harmonização do Segundo Grau do Reiki

A harmonização do Segundo Grau do Reiki é realmente transformacional, pois o abre para capacidade de oferecer curas através de todo o tempo e espaço, algo que pode – literalmente – mudar o modo como você pensa o Universo em que vivemos. Sabia que, uma vez harmonizado ao Reiki neste nível, sua consciência estará para sempre aberta à estrutura majestosa da matriz tempo/espaço.

Troca energética para harmonização

Assim como na harmonização do Primeiro Grau do Reiki, você deve se comprometer a fazer alguma boa ação ou doar algo à caridade após estar harmonizado. O conceito de troca energética existe em todos os níveis do processo de harmonização, e abandoná-lo é fazer pouco caso do Divino e do presente maravilhoso que você está recebendo com o Reiki. Esta harmonização é mais poderosa do que a harmonização de Primeiro Grau, e sugere-se intensamente que sua troca energética reflita um grau mais elevado de comprometimento de sua parte. Se você estiver feliz com o que fez para a troca energética da harmonização de Primeiro Grau, recomendo então que dobre essa troca energética em tempo, dinheiro ou esforço.

Você pode desejar considerar um comprometimento enviar o Reiki à Terra para a cura de nosso planeta. Seis horas de Reiki enviado por uma pessoa podem não mudar o mundo, mas imagine o que pode acontecer se todas as pessoas que lerem este livro se comprometerem a enviar seis horas de Reiki para a cura planetária. Uma vez que o Reiki possui inteligência, enviá-lo para a cura da Terra tem um efeito na consciência geral do planeta, assim como nas decisões tomadas pelos governantes, pelas empresas e indivíduos, em relação ao planeta. Não consigo pensar em presente melhor a se dar à Terra que utilizar nossas novas habilidades em Reiki para ajudar o planeta a se curar.

Preparação para harmonização

Uma vez decidido qual será seu comprometimento, escolha uma data na qual você gostaria de receber a harmonização. Mais uma vez, você pode desejar escolher um dia que coincida com uma data importante em seu próprio caminho espiritual ou um dia mais pessoalmente relevante, como seu aniversário.

No dia da harmonização, tome um banho de sal grosso pela manhã, para limpar sua aura. Encontre um espaço especial ou sagrado no qual gostaria de receber a harmonização. Novamente, pode ser na Natureza ou em algum outro espaço que pareça certo para você. Assim como antes, sugiro que você acenda uma vela ao dr. Mikao Usui para oferecer graças à sua busca espiritual que retribuiu o Reiki à humanidade. Mais uma vez, esta é uma sugestão, e não uma solicitação. Você também pode desejar acender uma vela para o Divino. As velas são sugeridas para honrar o modo no qual o Reiki foi retribuído à humanidade e não possuem nenhum efeito no resultado da harmonização.

A experiência de harmonização

Quando você estiver preparado para ser harmonizado ao Segundo Grau do Reiki, entoe este cântico com a intenção de ser harmonizado:

Abençoados Aqueles que nos trouxeram o Reiki
Abençoados Aqueles que continuam esta luz sagrada
Peço a harmonização do Segundo Grau do Reiki
Bênçãos a todos
Bênçãos a mim

Permita a si o tempo e o espaço para absorver plenamente e aproveitar a preciosidade desse momento. Você pode entoar o cântico mais de uma vez, mas isso é tudo. Se você deseja celebrar essa ocasião, então o faça com as bênçãos mais elevadas, sabendo que a informação de como utilizar esse dom o está aguardando e que você agora está harmonizado ao Segundo Grau do Reiki para o restante de sua vida.

Visto que a harmonização do Segundo Grau do Reiki literalmente o abre para todo o tempo e espaço por meio do símbolo Hon Sha Ze Sho Nen, sugiro esperar algum tempo após a harmonização para contemplar sua própria natureza eterna por meio de meditação, escrever poemas ou qualquer forma que funcione para você.

Capítulo 10

Usos Básicos do Segundo Grau do Reiki

O Segundo Grau do Reiki possui três funções primárias: intensificar o fluxo do Reiki com o símbolo Cho Ku Rei, direcionar o Reiki para a cura de problemas mentais e emocionais com o símbolo Sei He Ki e enviar o Reiki pelo tempo e espaço utilizando o símbolo Hon Sha Ze Sho Nen.

Expansão da consciência

Estando harmonizado ao Segundo Grau do Reiki, você se depara com uma porta aberta. Essa porta é muito mais do que a simples vibração elevada que acontece em seu campo energético com a harmonização; além disso, é uma consciência expandida. Muitos Mestres de Reiki, no entanto, não ensinam que o Segundo Grau do Reiki expande sua consciência. Ele o faz simplesmente ao permitir que você transcenda tempo e espaço com o Reiki. Se você utilizar esse dom do Segundo Grau do Reiki, o modo no qual você encara o tempo e o espaço mudará.

Infelizmente, conheço alguns praticantes do Segundo Grau do Reiki que apenas o utilizam para intensificar o fluxo do Reiki. Eles parecem intimidados pela ideia de transcender tempo e espaço com essa energia. Acredito nisso, pois nunca foram ensinados a permitir essa expansão na consciência. Na verdade, quando fui harmonizado ao Segundo Grau do Reiki, essa expansão ou mudança no modo pelo qual posso ver o Universo não foi sequer mencionada. Reiki destina-se à cura, mas, às vezes, esquecemo-nos de mencionar que libertar nossa visão limitada em relação ao Universo é cura. Com frequência, apenas pensamos em cura como desfazer o dano causado por traumas físicos ou emocionais. Há muito mais em relação à cura do que simplesmente liberar a negatividade da vida. A cura, na verdade, é mais potente quando enfatiza quanto são realmente infinitas as possibilidades na vida. Expandir sua consciência por meio do Reiki é algo que eu incentivo bastante. Oferecerei algumas dicas sobre isso, enquanto exploramos todos os aspectos do Segundo Grau do Reiki.

Conhecendo e utilizando os símbolos

Os fundamentos de utilizar o Segundo Grau do Reiki envolvem conhecer os símbolos, o que significa ser capaz de visualizá-los e entoá-los sem um livro ou "colinha". Outrora, os reikianos não são autorizados a ter cópias dos símbolos; tinham de memorizá-los. Porém, essa tradição recentemente foi mudada para melhor. Agora foram publicados diversos livros sobre símbolos do Reiki e seus usos. Tal abertura foi necessária. Ainda assim, você deve aprender os símbolos, de modo que os internalize plenamente. Pense neles como um alfabeto energético. Assim como a leitura, uma vez aprendido o alfabeto, um novo mundo é aberto.

Utilizando Cho Ku Rei em sessões de tratamento

Tendo memorizado completamente e internalizado Cho Ku Rei, o símbolo do poder, experimente como utilizá-lo. Em uma sessão de Reiki, visualize o símbolo em cada palma de sua mão e entoe mentalmente Cho Ku Rei, Cho Ku Rei, Cho Ku Rei, de modo contínuo.

Experimente isso em você mesmo. Apenas posicione as palmas de sua mão sobre o estômago e, primeiramente, permita que o Reiki flua sem utilizar o símbolo. Isso permite que você compare como o Reiki flui com e sem o símbolo ser ativado. Espere cerca de um minuto, de modo que seu corpo esteja completamente familiarizado com a vibração que está fluindo pelas suas mãos. Depois, visualize o símbolo em cada palma e entoe mentalmente o Cho Ku Rei. Você sentirá o poder do Reiki aumentar à medida que flui por suas mãos. Faça isso durante um minuto ou dois. Em seguida, pare de utilizar o símbolo por um minuto ou dois e apenas permita que o Reiki flua como deveria, sem o símbolo. Você notará que a vibração diminui novamente. Utilizando essa técnica simples, você pode ver que o símbolo Cho Ku Rei age quase que como o controle remoto em um rádio.

Tente utilizar o símbolo Cho Ku Rei durante um autotratamento completo, ao longo de toda a sessão. A vibração aumenta dramaticamente. Alguns podem até acreditar que usá-lo durante uma sessão inteira é desgastante.

O motivo pelo qual sugiro que experimente utilizá-lo em si primeiramente é que, dessa forma, você conhecerá a sensação quando o empregar em outra pessoa.

Particularmente, gosto de usar o Cho Ku Rei por cerca de metade da sessão. Eu o utilizo por alguns minutos e, depois, descanso. Repito esse padrão diversas vezes durante a sessão. Esse padrão de alta intensidade, seguido de baixa intensidade, e depois pela alta intensidade mais uma vez, é muito parecido com os ritmos e os ciclos que vivenciamos nos ritmos de nossos próprios corpos, assim como nos ritmos da Lua e das estações climáticas. Acredito que seja mais natural do que usar constantemente o símbolo durante uma sessão, embora possa haver casos em que essa intensidade é necessária. A melhor coisa é experimentar e descobrir de que seu próprio corpo gosta.

Uma vez familiarizado com o uso do símbolo em si mesmo, comece a perguntar àqueles de quem você trata se gostariam de experimentar esse Reiki de alta intensidade. Dê a eles o direito de escolher. Nunca utilize símbolos do Reiki em outra pessoa, a menos que tenha sido dada permissão.

Utilize Cho Ku Rei em outros do mesmo modo que faria em si, visualizando o símbolo e entoando-o em sua cabeça. Quando utilizar o símbolo Cho Ku Rei em outra pessoa, preste atenção na respiração e linguagem corporal dela. Em geral, percebo as pessoas indo mais profundamente no espaço de relaxamento, mas houve algumas vezes em que percebi as pessoas começando a inquietar-se, como se o Reiki estivesse intenso demais. Em ocasiões como essas, é importante interromper o uso do símbolo no tratamento ou perguntar à pessoa se a sensação do Reiki está muito intensa. Você pode parar de utilizá-lo pelo restante do tratamento ou apenas usá-lo em pequenas "explosões" para aumentar a vibração somente por períodos curtos de tempo. Sempre se comunique com a pessoa na qual estiver trabalhando, seja diretamente ou ouvindo os sinais que o corpo dela lhe fornece. A última coisa que você deseja fazer é oprimir uma pessoa com algo bom em exagero. O Reiki é maravilhoso, mas alguns não conseguem lidar com muito dele em uma única dose.

À medida que se familiarizar com o uso do símbolo Cho Klu Rei em si mesmo e nos outros, você também ficará mais íntimo do fluxo e refluxo do Reiki, de quando ele é intenso e quando é sutil. Essas coisas não podem ser ensinadas em um livro; você as aprenderá ouvindo sua intuição e outras pessoas.

Utilizando Cho Ku Rei no dia a dia

É maravilhoso usar Cho Ku Rei em sessões, mas também pode ser uma ferramenta poderosa no dia a dia. Desenhar o símbolo sobre sua comida é uma maneira rápida de carregá-la de vibrações positivas. Isso pode ser feito em bebidas também. Em qualquer um dos casos, simplesmente desenhe o símbolo no ar, sobre a comida ou bebida prestes a ser consumida, e entoe mentalmente o Cho Ku Rei.

Uma técnica semelhante pode ser utilizada para limpar a energia negativa de um cômodo ou uma área. Apenas caminhe pelo cômodo, em um desenho circular do Cho Ku Rei no ar. Eu faço gestos de varrida, desenhando o símbolo o maior possível. Caminho pelo cômodo, desenho símbolo em cada parede, janela e porta. Prossigo até ter criado um círculo invisível de símbolos Cho Ku Rei que, se você pudesse vê-los, pareceriam uma corrente por todo o cômodo. Uma vez completo o círculo, desenho um sobre minha cabeça e um no chão. Durante todo esse tempo, estou entoando Cho Ku Rei mentalmente.

Entoar o símbolo é algo que você pode fazer em voz alta ou internamente. Pode ser realmente divertido se entrar em um ritmo musical com ele. O motivo pelo qual eu digo para entoá-lo mentalmente é que desejo que você perceba que não tem de ser audível. E, às vezes, entoar o nome do símbolo em voz alta seria socialmente embaraçoso. Utilize seu próprio julgamento, mas saiba que qualquer maneira é eficaz.

Breve revisão do uso do Cho Ku Rei

Recapitulando, utilizar o símbolo Cho Ku Rei em um tratamento físico em si mesmo ou em outra pessoa simplesmente envolve visualizar o símbolo e entoá-lo. É tudo. Isso aumentará o fluxo do Reiki durante um tratamento. Outros usos incluem desenhar o símbolo no ar e entoá-lo para afastar vibrações negativas em um cômodo. Você também pode desenhá-lo e entoá-lo sobre coisas que você come e bebe, para carregá-las de amor e luz.

Utilizando Sei He Ki em autocura mental

Sei He Ki é o próximo símbolo que você desejará explorar. Como Cho Ku Rei, você pode utilizá-lo em uma sessão com mãos, em você ou em outra pessoa.

Para utilizar Sei He Ki em uma autocura mental, apenas mantenha as mãos com as palmas sobre seu chacra da coroa, bem em cima da cabeça. Visualize Cho Ku Rei e Sei He Ki nas palmas de ambas as mãos, pois Cho Ku Rei é o que intensifica Sei He Ki. Depois, entoe os símbolos em repetições de três, como o que Cho Ku Rei vem antes e depois de Sei He Ki, por exemplo:

Cho Ru Kei, Cho Ru Kei, Cho Ru Kei,
Sei He Ki, Sei He Ki, Sei He Ki,
Cho Ku Rei, Cho Ku Rei, Cho Ku Rei

Prossiga o entoar tanto quanto desejar que a cura mental do Reiki flua. Você pode perceber uma mudança na vibração do Reiki, como se estivesse entrando no centro de sua alma. Isso é exatamente o que está sendo feito, indo até a raiz de seu problema emocional ou mental. Descobri que realizar curas mentais de Reiki durante 15 minutos diários pode desfazer algumas tramas emocionais mais confusas que jamais vivenciei.

A intenção é muito importante em relação ao modo em que Sei He Ki é utilizado. Se o propósito for para o bem-estar geral em um nível emocional, é para isso que o Reiki trabalhará. Você sentirá essa mudança em seu emocional. Se o desejo for por algo mais específico, como livrar problemas de relacionamento ou sentimentos de estresse ou ansiedade em relação a um aspecto específico de sua vida, essa forma de Reiki iluminará tais questões, de modo que se tornem mais claras para você lidar com elas. Apenas estabeleça sua intenção, de modo que o Reiki saiba o que limpar para você no aspecto mental. Lembre-se: o Reiki possui uma inteligência que é de origem Divina. Ele encontrará a resposta para seu problema, ou pelo menos iluminará a situação de modo que você consiga tomar suas próprias decisões de modo claro.

Utilizando Sei He Ki em curas mentais para outros

Após utilizar Sei He Ki em si mesmo um número de vezes, deixe as pessoas para quem você fornece o Reiki saberem que elas agora têm a opção de receber cura mental por meio do Reiki. Não obrigue ninguém nem tente mudar as pessoas com o Reiki – isso poderia ser manipulação. Apenas deixe que saibam que esse tipo de cura está disponível para elas. E, se estiver de acordo com seu próprio livre-arbítrio, elas pedirão uma cura mental a você quando o momento for adequado.

Ao realizar uma cura mental de Reiki em alguém, pergunte à pessoa, primeiramente, se há uma questão emocional específica que ele ou ela desejam limpar. Em caso afirmativo, manifeste a intenção de que o Reiki flua e limpe tal questão, enquanto visualiza os símbolos e os entoa de modo apropriado. Você não precisa saber os detalhes exatos, uma vez que não está exercendo a função de terapeuta. A pessoa pode manifestar um desejo pelo Reiki para a cura de um problema de relacionamento, familiar, e assim por diante. Não cabe a você selecioná-lo para a pessoa; o Reiki fará esse trabalho por conta própria. Se a pessoa não possuir uma intenção específica, apenas utilize os símbolos e deixe que o Reiki flua visando ao bem-estar mental geral dela.

Utilizando Sei He Ki para proteção

Além de ser utilizado para a cura mental, Sei He Ki pode ser empregado para invocar energias de proteção. Costumo utilizar esse símbolo quando limpo um cômodo antes das harmonizações de Reiki, para aumentar a proteção de qualquer forma de negatividade que entre no cômodo. Simplesmente adote o mesmo método para limpar um cômodo fornecido anteriormente, mas acrescente o símbolo Sei He Ki entre Cho Ku Rei, enquanto desenha e entoa a cadeia invisível de símbolos pelo cômodo. Você também pode desenhá-lo sobre objetos específicos que deseja proteger, utilizando-o em conjunção com Cho Ku Rei, para que a proteção seja ativada. Certa vez, enquanto procurava um apartamento e não tinha um lar, utilizei-o para proteger todos os meus pertences que estavam em um carro estacionado na rua durante um mês, em uma região dominada pela criminalidade, em São Francisco. Outros carros próximos estavam sendo arrombados com muita frequência, mas meus pertences e o carro foram deixados intactos, embora fosse óbvio que o veículo estivesse cheio de bens que poderiam ser levados com facilidade simplesmente quebrando uma janela. Embora tenha utilizado os aspectos protetivos com menos frequência em tratamentos diretos a indivíduos, houve algumas vezes em que desenhei o símbolo sobre o corpo inteiro de uma pessoa quando senti que ela poderia correr algum tipo de perigo.

Breve revisão do uso do Sei He Ki

Recapitulando, Sei He Ki pode ser utilizado para a cura mental ou para objetivos de proteção. Para usá-lo em uma cura mental, posicione as palmas de sua mão sobre o chacra da coroa, no topo da cabeça da pessoa em que estiver trabalhando, ao mesmo tempo em que visualiza Sei He Ki em conjunção com Cho Ku Rei. Enquanto isso, entoe Cho Ku Rei três vezes, depois Sei He Ki três vezes, em seguida, Cho Ku Rei três vezes. Repita isso tanto quanto desejar que a cura mental do Reiki flua.

Para proteção, entoe Sei He Ki e desenhe-o no ar sobre qualquer coisa que você deseje proteger. Em seguida, desenhe e entoe Cho Ku Rei para ativar a proteção.

Utilizando Hon Sha Ze Sho Nem para transcender tempo e espaço

Utilizar Sei He Ki e Cho Ku Rei intensifica muito as habilidades que você possui em Reiki. Agora você pode não apenas fornecer a energia curativa do Reiki para si e para os outros, mas também usá-la para propósitos específicos, como cura mental ou limpeza de um cômodo em relação a vibrações negativas. Esses dois símbolos devem fazer parte de seu próprio ser, de modo que você se sinta preparado para usá-los sempre que necessário. Embora esses dois símbolos sejam maravilhosos, não podem ser utilizados em seu potencial pleno até que se domine o uso do Hon Sha Ze Sho Nen.

Hon Sha Ze Sho Nen é o símbolo que permite que você transcenda tempo e espaço com o Reiki. Eu o incentivo muito a experimentar o uso desse símbolo, pois ele pode destravar muitos segredos em relação à natureza de quem somos em relação a todas as coisas. Utilizei esse símbolo não apenas para enviar cura ao passado, para acontecimentos traumáticos que vivenciei nesta existência, mas também para investigar a natureza de minha própria alma. Empreguei esse símbolo para enviar Reiki para quando minha alma se originou, ao primeiro instante de minha existência eterna. Não consigo descrever a sensação ou o que aprendi; é algo que o incentivo a investigar por conta própria.

Uma vez que o Reiki pode ser enviado a relacionamentos em Segundo Grau, utilizei esse símbolo para enviar o Reiki para meu relacionamento com o Divino, para curar feridas de minha alma e obter uma compreensão maior sobre o mistério da vida. As oportunidades de uso desse símbolo para investigar o Universo e trazer amor e luz a todos os aspectos de sua existência são realmente infinitas. Se você deseja saber como a vida era quando você estava no útero, envie a si mesmo o Reiki para o momento em que você se encontrava no útero. Você não estará apenas curando sua própria criança interior mais profunda, mas também conhecerá a si mesmo, que é a maior cura de todas. Eu não estou exagerando quando afirmo que as possibilidades de usar o Segundo Grau para explorar sua alma, seu passado, suas vidas passadas e seus relacionamentos em relação a tudo são realmente infinitas. Esse é o maior presente que o Reiki pode oferecer a você, e é aquele geralmente negligenciado.

Enviando Reiki ao tempo presente

Os fundamentos para utilizar Hon Sha Ze Sho Nen são simples. Pense no símbolo como uma ligação através do tempo e do espaço para qualquer lugar em qualquer momento de toda a criação. Se você deseja enviar Reiki a uma pessoa no tempo presente e obteve sua permissão de antemão, apenas diga o nome daquela pessoa três vezes, depois diga Hon Sha Ze Sho Nen três vezes, ao mesmo tempo em que visualiza o símbolo sobre o rosto da pessoa, imagem ou nome. Repita isso diversas vezes para estabelecer uma ligação forte. Uma vez estando claro esse elo, comece a usar Cho Ku Rei para ativar o fluxo de Reiki à pessoa por meio dele. Continue a usar Cho Ku Rei, visualizando o símbolo e entoando-o ao mesmo tempo em que sente o fluxo de Reiki chegando à pessoa pretendida. Em algum momento você provavelmente sentirá o *link* começando a se desfazer, como se a presença da pessoa para a qual está enviando o Reiki pareça fora de alcance. Quando isso ocorrer, simplesmente comece a utilizar Hon Sha Ze Sho Nen mais uma vez para reconectar a ligação através do tempo/espaço. Continue usando Cho Ku Rei quando o elo estiver forte de novo.

Enviando Reiki aos tempos passado e futuro

Se você estiver enviando um tratamento de Reiki a algum lugar que não seja no presente, indique no início. Apenas afirme em voz alta o tempo, que pode ser tanto futuro como passado, para quando se tem a intenção de o Reiki chegar. Se você não sabe o tempo, conecte a chegada do Reiki a uma ação específica. Por exemplo, envie um tratamento para um amigo à frente no tempo, para que chegue quando ele for dormir, na noite seguinte. Você pode não saber o horário em que ele dorme, mas apenas afirme em voz alta quando iniciar o tratamento que o Reiki deve chegar "na hora de dormir, amanhã". Caso contrário, a técnica de tratamento é exatamente a mesma mostrada anteriormente.

Algumas pessoas se sentem mais seguras utilizando uma fotografia, desenho ou boneco para representar a pessoa para a qual estão enviando o Reiki. Isso as ajuda a visualizar a pessoa. Elas posicionam as mãos no boneco ou foto e utilizam os símbolos, como explicado anteriormente. Particularmente, prefiro permitir-me ficar com a visualização mental. Porém, se a utilização de um boneco ajudar, não hesite em incorporá-lo isso em sua técnica. Uma coisa que parece universal em relação ao Reiki é que ele se adapta às pessoas, permitindo dessa forma diversas maneiras de enviar o Reiki, todas corretas. Mais uma vez, incentivo-o a experimentar e fazer o que o deixa se sentir mais confortável.

Breve revisão do uso do Hon Sha Ze Sho Nen

Recapitulando, Hon Sha Ze Sho Nen é utilizado para enviar Reiki a qualquer ponto na matriz tempo/espaço. Para empregar o símbolo, apenas diga três vezes o nome da pessoa ou situação para qual você está enviando o Reiki e, depois, comece a entoar Hon Sha Ze Sho Nen e visualizar o símbolo sobre o alvo designado ao tratamento de Reiki. Isso estabelece a ligação por meio da qual o Reiki pode fluir. Para ativar o fluxo do Reiki por esse elo, comece a visualizar e a entoar Cho Ku Rei. Se a intenção da chegada do Reiki estiver no passado ou no futuro, inclua isso quando afirmar o alvo designado, três vezes, no início.

O poder do Segundo Grau do Reiki

Em suma, o Segundo Grau do Reiki pode intensificar o fluxo de Reiki, remover vibrações negativas, promover cura mental, invocar energias protetivas e permitir que você transcenda tempo e espaço. Enquanto fizer isso, é possível trazê-lo para mais próximo do Divino e fornecer um meio de explorar seu relacionamento com tudo. Para a maioria das pessoas, essa é uma grande mudança na consciência com a qual lidar. Não se sinta pressionado a obter tudo isso de uma vez. A informação deste capítulo pode levar algum tempo para ser mentalmente digerida e integrada. Dedique tempo e revise a informação deste capítulo ou em outros livros sobre Reiki, sempre que necessário. Dê a si mesmo o espaço e o tempo necessários para integrar esta informação nova e como você pode fazer melhor uso em sua própria vida. Sua jornada ao mundo do Reiki apenas começou.

Capítulo 11

Exercícios Simples para Enviar o Reiki

Teoria é uma coisa, mas apenas por meio da prática você compreenderá o Reiki e seu funcionamento. A seguir há alguns exercícios práticos para ajudá-lo a ficar mais hábil no uso de seu Segundo Grau do Reiki.

Protegendo a Terra

Para nosso primeiro exercício, enviaremos à Terra Reiki protetor como um exemplo de como utilizar todos os três símbolos em um tratamento a longa distância. Se você deseja visualizar esse Reiki indo a uma região particular da Terra que você sente precisar de proteção, como a Camada de Ozônio ou o Parque Nacional de Redwood, então o faça. Caso contrário, você pode visualizar nossa Mãe Terra azul como nas fotografias da NASA. Uma vez tendo a imagem da Terra ou da região específica para a qual você deseja que a cura vá, diga isto ao mesmo tempo em que visualiza os símbolos enquanto entoa:

Terra terrestre, Terra
Hon Sha Ze Sho Nen, Hon Sha Ze Sho Nen, Hon Sha Ze Sho Nen
Cho Ku Rei, Cho Ku Rei, Cho Ku Rei
Sei He Ki, Sei He Ki, Sei He Ki
Cho Ku Rei, Cho Ku Rei, Cho Ku Rei

Repita as partes Cho Ku Rei e Sei He Ki até que o elo enfraqueça e, depois, retorne ao canto "Terra" e Hon Sha Ze Sho Nen para restabelecer a ligação. Faça isso por cinco minutos ou mais, apenas para ter uma noção.

Trazendo a paz mundial

Outra causa valiosa para enviar o Reiki é ajudar a trazer a paz mundial. Um tratamento, obviamente, não será suficiente, mas uma das coisas maravilhosas em relação ao Reiki é que funciona em todos os níveis. Esse tratamento que você está prestes a enviar pode não evitar a próxima guerra, mas acrescentará à estrutura cósmica de paz que precisa desesperadamente tragar este planta. Quem sabe um dia, se um número suficiente de pessoas levar esse tipo de coisa a sério, teremos paz na Terra. Como o Divino, o Reiki pode trabalhar de formas misteriosas.

Para fazer este exercício, simplesmente visualize como você imagina que o mundo seria se a paz mundial existisse no presente. Então diga:

Envio este tratamento para o mundo, a fim de ajudar a manifestar a paz mundial:

Paz mundial, paz mundial, paz mundial,
Hon Sha Ze Sho Nen, Hon Sha Ze Sho Nen, Hon Sha Ze Sho Nen
Cho Ku Rei, Cho Ku Rei, Cho Ku Rei
Cho Ku Rei, Cho Ku Rei, Cho Ku Rei

Repita Cho Ku rei até sentir uma necessidade de utilizar Hon Sha Ze Sho Nen mais uma vez. Envie o tratamento por cinco minutos ou mais, de modo que tenha uma sensação de experiência. Você também pode incluir Sei He Ki, se desejar proteção contra guerras. É simplesmente uma questão de como você expressa e como deseja enviar o Reiki. Se desejar, volte e repita o exercício anterior utilizando também Sei He Ki, acrescentando-o entre os dois versos de Cho Ku Rei.

Devolvendo bênçãos ao Divino

Como mencionado no capítulo 3, o Reiki foi utilizado em Atlântida. Em alguns casos, as pessoas de lá fizeram mal uso, mas, de outras maneiras, tiveram uma visão mais ampla do como o Reiki poderia funcionar. Por exemplo, eles utilizaram o Reiki para devolver bênçãos ao Divino. O Divino precisa disso? Provavelmente não, mas uma ação previdente como essa nos leva para mais perto Dele. Faça este exercício, pense no nome que você utiliza para o Divino. Depois, envie o Reki, exatamente como você o enviaria a um ser humano. Você pode notar a presença infinita do Divino. Essa experiência é verdadeiramente uma que todas as pessoas deveriam ter o direito de explorar.

Capítulo 12

Símbolos Alternativos do Reiki

Historicamente, de acordo com a linhagem que veio por intermédio de Hawaya Takata ao Ocidente, apenas três símbolos eram ensinados no Segundo Grau do Reiki. Muitos Mestres de Reiki recentemente estão derivando novos símbolos. Algumas pessoas os repudiam como não sendo parte do sistema de energia do Reiki. Eu discordo, tendo usado um número desses novos símbolos e vivenciado seu poder e habilidade curativa. Eles apenas parecem trabalhar no contexto do Reiki, o qual parece se intensificar como um sistema geral com sua inclusão. Considero-os parte do Reiki tanto quanto Cho Ku Rei ou Hon Sha Ze Sho Nen. O Reiki é um sistema flexível que evolui e cresce de acordo com nossa própria habilidade de compreendê-lo. Esses novos símbolos vêm até nós porque estamos preparados para eles e a Terra está precisando desesperadamente de formas aceleradas de cura. Alguns desses símbolos foram publicados em livros. Eu recomendo bastante a obra *Essential Reiki*, de Diane Stein (Berkeley. CA: Crossing Press, 1995), para informações sobre alguns desses símbolos alternativos. Outros Mestres de Reiki menos conhecidos também estão derivando novos símbolos, ensinando-os a seus alunos e a outros Mestres de Reiki.

Decidi incluir neste capítulo alguns símbolos novos que eu também derivei. Perceba que nenhuma pessoa tem as respostas para o que o Reiki é ou sabe quais símbolos fazem realmente parte do sistema energético do Reiki. Se os símbolos funcionam e dependem de outros símbolos para serem ativados, eles então devem ser símbolos do Reiki. Mais uma vez, incentivo-o a experimentar e chegar a suas próprias conclusões.

Explorando símbolos alternativos

Cada símbolo que listei inclui um cântico para harmonização. Esses símbolos são os únicos que eu derivei. Incentivo-o a explorar símbolos derivados por outros, enquanto posso assegurar pessoalmente sua habilidade de cura em muitos casos. Não incluí aqueles outros símbolos por dois motivos: primeiro, não vejo necessidade em duplicar o que já está escrito em outros livros; e, segundo, não alego ser totalmente inclusivo em minha investigação de símbolos alternativos do Reiki e não desejo passar a impressão de que todos os símbolos do Reiki podem ser encontrados neste livro. Tenho certeza de que há muitos símbolos que ainda não foram experimentados e são profundamente úteis no sistema energético do Reiki. Minha responsabilidade em ensinar o Reiki da forma mais clara possível significa ensinar o que sei diretamente. Por isso, apenas os símbolos que derivei estão incluídos aqui.

Fling Fling

O primeiro símbolo alternativo que eu derivei chama-se *Fling Fling*. Ele se parece e relaciona-se energeticamente ao Sei He Ki, mas tem uma função um pouco diferente. Este símbolo centraliza e estabiliza emocionalmente alguém e ajuda a dispersar influências energéticas indesejadas. Deve ser utilizado em ocasiões em que alguém estiver vivenciando choque emocional, trauma, confusão ou qualquer outra forma de sentimento desequilibrado em razão de influências ou acontecimentos externos. O símbolo funciona em dois níveis: um é na limpeza dos campos de interferência mental e emocional, e o outro é simplesmente estabilizar e centralizar a pessoa nos níveis mental e emocional. O nome sugere livrar-se de algo negativo, que é o que o símbolo faz. Porém, ele também funciona quando se trata de estabilização emocional.

    Esse símbolo é fácil de entoar e desenhar. Na página seguinte, há um diagrama de como deve ser desenhado.

    Para utilizar esse símbolo em você mesmo, faça-o do mesmo modo que no Sei He Ki (ver capítulo 10). Este símbolo é mais eficiente do que o Sei He Ki quando se trata de estabilizar alguém emocionalmente e funciona como um filtro para dispersar aquelas energias que podem ser a fonte de um sentimento emocionalmente desequilibrado. Eu utilizo *Fling Fling* em casos nos quais alguém está vivenciando confusão mental, trauma imediato ou choque, em que Sei He Ki é mais eficiente para curar feridas emocionais do passado e criar uma sensação geral de bem-estar mental e emocional.

Fling Fling   O símbolo é desenhado dessa
                                           maneira

Antes de entoar o Cântico de Harmonização, concorde em fazer uma boa ação em troca desse presente de o novo símbolo ser ativado em seu campo energético. Uma vez harmonizado com esse símbolo, sugiro enviar três horas de Reiki *Fling Fling* em direção a influências energéticas desestabilizadoras da Terra. Utilizar esse símbolo para regiões do planeta devastadas pela guerra é extremamente recomendado, considerando quanto choque emocional e trauma existem em tais regiões do planeta.

Exatamente como em outras harmonizações, siga as etapas necessárias para realizar esse momento sagrado. Tome seu banho de sal grosso pela manhã. Vá até seu espaço sagrado. Acenda velas, caso deseje, para dr. Usui e o Divino, e, depois, prossiga solicitando a harmonização. Quando estiver preparado, repita o cântico a seguir:

Abençoados Aqueles que nos trouxeram o Reiki
Abençoados Aqueles que continuam esta luz sagrada
Peço a harmonização do Reiki Fling Fling
Para o Primeiro e Segundo Graus
Bênçãos a todos
Bênçãos a mim

Mais uma vez, utilize o símbolo exatamente como Sei He Ki (ver capítulo 10), mas, para o objetivo de estabilização emocional e filtro de influências desestabilizadoras, empregue-o para a saúde mental geral. Sei He Ki pode ajudar com a remoção de influências desestabilizadoras, mas *Fling Fling* parece mais divinamente destinado a esse objetivo, ao mesmo tempo em que também possui uma função de estabilização emocional.

Rish Tea

Outro símbolo que eu derivei se chama *Rish Tea*. Disseram-se que se destina somente a ajudar a focalizar o Reiki mais claramente na batalha contra o câncer. Não sugiro, de forma alguma, que seja uma cura nem recomendaria a alguém abandonar tratamento médico profissional em favor desse símbolo. Como em todas as formas de Reiki, ele complementa espiritualmente outras modalidades de cura e não se destina a afastar alguém de outras fontes curativas. A seguir, o diagrama do símbolo.

A harmonização – como todas as demais neste livro – exige uma troca energética. Uma vez que a harmonização é ativada tanto para o

Rish Tea

O símbolo é desenhado dessa maneira

Primeiro como para o Segundo níveis, sugiro enviar três horas de *Rish Tea* a uma região principalmente industrial, para ajudar a liberar a energia do câncer como um todo de lugares em que a doença comumente se inicia.

Outro meio válido de realizar uma troca energética seria oferecer *Rish Tea* a todos os que você possa conhecer e que sofrem de câncer, mas tome cuidado para não invadir os limites da saúde de alguém. Além disso, esteja claro de que o Reiki é uma ferramenta espiritual destinada a intensificar e complementar tratamento médico profissional, não a ser substituto dele. O câncer é uma questão muito dolorosa, visto que os que sofrem da doença são geralmente tentados com possíveis curas que falham com frequência. Essas experiências afligem os que buscam cura verdadeira. Esteja ciente de que algumas pessoas podem sentir que o que você está oferecendo não é diferente do óleo de serpente. Devemos tornar disponível essa forma de Reiki àqueles que sofrem de câncer sem tentar se apossar de seu processo de cura ou fingir que sabemos o que é melhor para eles. Faça a oferta de modo gentil e, então, deixe a pessoa decidir por si.

Após decidir seu comprometimento, dedique tempo a seu dia sagrado de se harmonizar com esse símbolo. Até agora, você se familiarizou com o processo. Tome seu banho de sal grosso pela manhã. Vá até seu local sagrado. Acenda velas, se desejar, ao dr. Usui e ao Divino; então, prossiga solicitando a harmonização e repetindo o cântico a seguir:

Abençoados Aqueles que nos trouxeram o Reiki
Abençoados Aqueles que continuam esta luz sagrada
Peço a harmonização do Reiki Rish Tea
Para o Primeiro e Segundo Graus
Bênçãos a todos
Bênçãos a mim

Estando agora harmonizado a essa forma de Reiki, utilize o símbolo em conjunto com Cho Ku Rei, para tratamentos físicos. Mais uma vez, Cho Ku Rei é o que ativa a maior parte dos demais símbolos. Você pode utilizar *Rish Tea* em uma sessão de corpo inteiro, para objetivos de prevenção espiritual, em alguém. E, se estiver trabalhando em uma pessoa que tem câncer, você deve combinar as posições das mãos de um tratamento de corpo inteiro com o trabalho na região em que a doença se localiza.

Tente utilizar esse símbolo em si mesmo para ter a sensação da energia, o que geralmente vibra um pouco mais quente ou mais intenso do que a maioria das formas de Reiki. Posicione as palmas em seu abdome e permita que o Reiki flua sem quaisquer símbolos. Depois, use o símbolo Cho Ku Rei (ver capítulo 8) e o *Rish Tea* juntos, visualizando ambos em suas palmas ao mesmo tempo em que entoa cada um em grupos de três, como mostrado a seguir:

Cho Ku Rei, Cho Ku Rei, Cho Ku Rei
Rish Tea, Rish Tea, Rish Tea
Cho Ku rei, Cho Ku Rei, Cho Ku Rei

Faça isso por cinco minutos para sentir plenamente como é a energia. Depois, interrompa o uso do *Rish Tea* e utilize apenas Cho Ku Rei, de modo que você sinta como são diferentes.

Compreender esses símbolos como energias, qual a sensação ao toque, é importante para ter uma compreensão intelectual deles. Em um tratamento, suas mãos pensam e sua mente sai de cena. É por isso que incentivo comparar as sensações dos símbolos, para que suas mãos compreendam como eles são diferentes em um nível sensorial.

Utilize *Rish Tea* para sua própria saúde e para ajudar aqueles ao seu redor. Mas lembre-se: não o force a alguém; sua oferta é tudo o que é necessário.

One Love

O próximo símbolo é um dos meus preferidos. Ele carrega uma energia de amor universal profundo que vai além de tudo que já experimentei energeticamente. Chama-se *One Love*. Ele não apresenta um foco de cura específico que não o de fornecer a energia do amor, o que pode ser, em geral, o curador mais poderoso de todos. Eu o utilizei por conta própria quando me senti triste, mal-amado ou emocionalmente perdido. Ele sempre me faz lembrar quanto o poder do amor é profundo e de quão sagrados todos nós somos em relação à capacidade de dar e receber esse amor. Ele me leva a um espaço que é pleno, não importa com que possa estar lutando no momento. Descobri que usá-lo com os outros pode ajudar quando estiverem se sentindo mal-amados ou emocionalmente inseguros. É quase como aquele ursinho de pelúcia cósmico que todos nós precisamos abraçar de vez em quando.

Para a troca energética de harmonização desse símbolo, recomendo enviar três horas de Reiki *One Love* a uma prisão, qualquer lugar em que a vibração do amor parece quase que totalmente ausente. Lembre-se: você não está enviando amor aos prisioneiros, pois isso exigiria o consentimento deles. Você está enviando amor ao prédio, ao sistema de interações, à vibração do presídio por si só. A razão disso é levar a vibração do amor, a qual esperançosamente ajudará os prisioneiros e os guardas a interagirem de forma mais humana e evoluírem rumo a uma atmosfera de compaixão e responsabilidade. Você não está tentando curar os indivíduos, e sim tentando modificar a vibração, de modo que aqueles que desejam a cura serão incentivados a dar um passo rumo a essa direção. Assim como em outros tratamentos sugeridos, percebi que uma sessão pode não mudar muito. Mas, quando combinada com diversos tratamentos, com o passar do tempo as mudanças podem ser impressionantes.

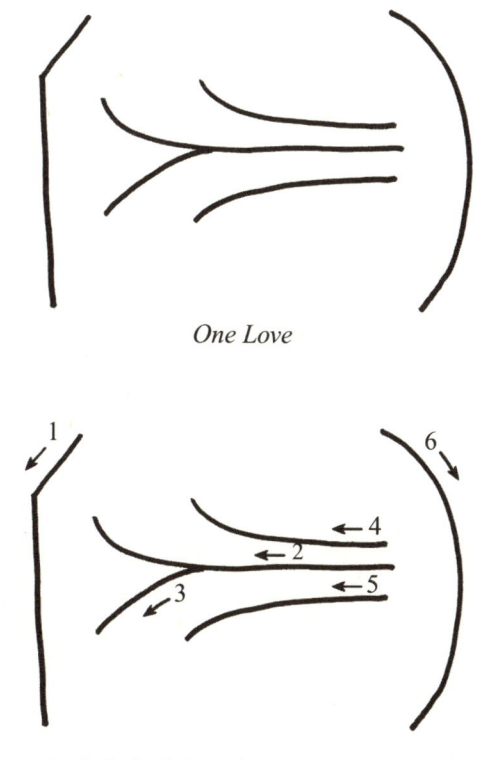

One Love

O símbolo é desenhado dessa maneira

Se esse tratamento não parecer adequado a você e à sua troca energética, faça outra boa ação que se pareça com um comprometimento valioso. Após decidido seu comprometimento, prepare-se para a harmonização: escolha seu dia e espaço, tome seu banho de sal grosso e acenda suas velas, se considerar adequado. Depois, entoe o seguinte cântico para se harmonizar ao Reiki *One Love* tanto no Primeiro como no Segundo Grau:

> *Abençoados Aqueles que nos trouxeram o Reiki*
> *Abençoados Aqueles que continuam esta luz sagrada*
> *Peço a harmonização do Reiki* One Love
> *Para o Primeiro e Segundo Graus*
> *Bênçãos a todos*
> *Bênçãos a mim*

Você pode desejar realmente repousar após se harmonizar, pois a vibração dessa harmonização é muito especial. Mas, quando estiver preparado, prossiga utilizando esse símbolo em si mesmo e nos outros. Exatamente como Sei He Ki, *Fling Fling* e *Rish Tea*, o símbolo precisa ser intensificado com Cho Ku Rei para ser ativado em uma sessão. Ao utilizar esse símbolo, você compreenderá como os Beatles estavam certos quando diziam "All you need is love".

Rebirth

Rebirth é o nome do próximo símbolo que examinaremos. Como o nome sugere, esse símbolo ajuda alguém a superar velhos padrões para renascer em uma nova consciência. É um símbolo fantástico para usar quando se sentir preso e tudo parecer sem graça e velho. O que descobri ao usá-lo é que realmente ajuda a abrir portas a novas formas de enxergar padrões antigos. Além disso, é bom para se utilizar nos períodos de transição na vida.

Durante o tempo em que derivei esse símbolo, minha namorada na época também derivou o mesmo símbolo; porém, como *designer*, ela o estava usando em suas cerâmicas. Fiquei maravilhado ao notar como ambos estavam mudando naquele período de nossas vidas. Também foi interessante ver um símbolo que viera até mim em meditações aparecendo em vasos e potes que ela fazia na época. Minha namorada não sabia que esse símbolo tinha vindo até mim, visto que não o compartilhei com ela antes que começasse a usá-lo em seu trabalho. Nós viemos a nos separar, mas não antes de estarmos completamente renascidos nos caminhos nos quais havíamos nos intrometido anteriormente.

Símbolos Alternativos do Reiki

Rebirth

O símbolo é desenhado dessa maneira

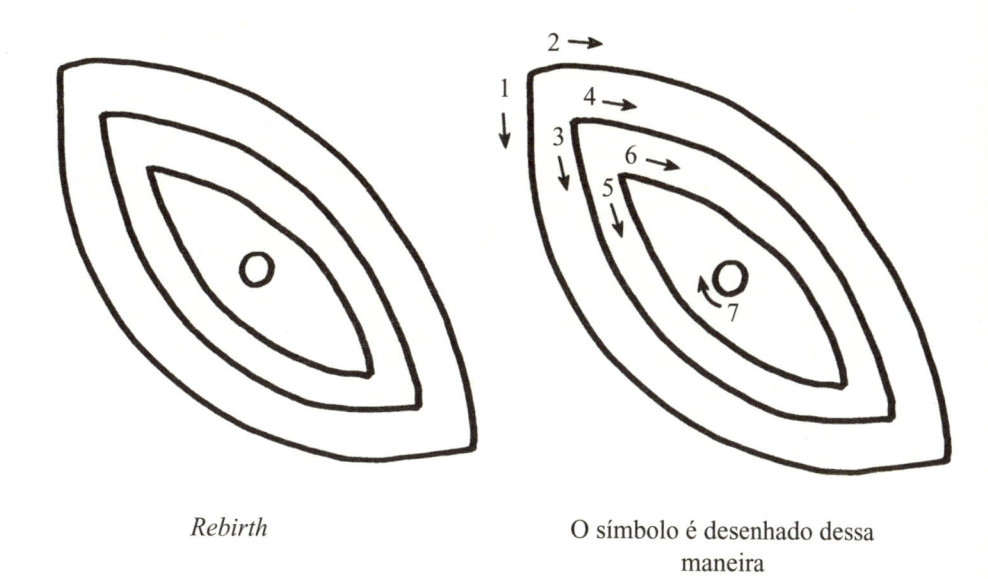

Para utilizar esse símbolo, simplesmente intensifique-o com Cho Ku Rei. Sugiro enviar três horas de Reiki *Rebirth* a nosso sistema público de saúde, para incentivar uma nova consciência que permita cuidados de saúde apropriados a todas as pessoas e que não descarte a importância de modalidades de cura alternativas. Mais uma vez, essa é apenas uma sugestão, e você é livre para realizar outras boas ações para completar sua troca energética.

O processo de harmonização é provavelmente bastante familiar a você até agora. A seguir, o cântico de harmonização para o Reiki *Rebirth*. Após entoar esse cântico, você estará harmonizado ao Primeiro e ao Segundo Graus do Reiki deste símbolo.

Abençoados Aqueles que nos trouxeram o Reiki
Abençoados Aqueles que continuam esta luz sagrada
Peço a harmonização do Reiki Rebirth
Para o Primeiro e Segundo Graus
Bênçãos a todos
Bênçãos a mim

Uma vez harmonizado, utilize esse símbolo para ajudar a si ou a outros a se moverem mais suavemente pelas transições da vida ou nas ocasiões em que estiver se sentindo preso.

One Light

Esse símbolo é útil para todas as situações, visto que ilumina e abre a porta à luz universal. Chama-se *One Light*.

Utilize esse símbolo com a mesma técnica empregada para todos os símbolos alternativos, intensificando-o com Cho Ku Rei. A troca energética para a harmonização para esse símbolo deve ser de três horas de Reiki direcionado a qualquer causa valiosa ou altruísta. Lembre-se: apenas envie Reiki para sua própria situação ou a cura não constituirá uma troca energética. A ideia é dar de modo desinteressado. Permita que seu próprio guia interior diga a você para onde enviar o Reiki como uma energia a ser harmonizada a esse símbolo.

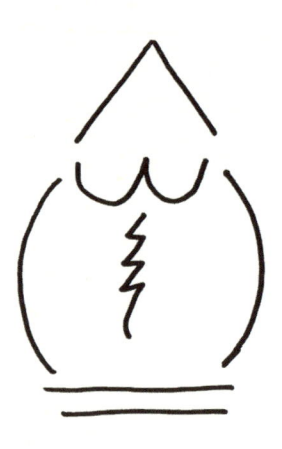

One Light

O símbolo é desenhado dessa maneira

Familiarizando-se com o processo de harmonização, você saberá o que lhe é adequado, até que estabeleça o dia e o espaço sagrados para você. Quando o momento for adequado, entoe o seguinte cântico a fim de harmonizar-se com o Reiki *One Light*:

Abençoados Aqueles que nos trouxeram o Reiki
Abençoados Aqueles que continuam esta luz sagrada
Peço a harmonização do Reiki One Light
Para o Primeiro e Segundo Graus
Bênçãos a todos
Bênçãos a mim

Relaxe e permita que a beleza dessa experiência o rodeie. Utilize esse símbolo de modo que traga mais luz para seu mundo e para as vidas daqueles dispostos a que você empregue esse símbolo quando realizar tratamentos para eles.

Open the Mountain from the Inside

Open the Mountain from the Inside é utilizado para liberar obstáculos ao aprendizado e à liberdade. Eu o descobri muito útil em meus próprios estudos de graduação e ao me permitir abertura ao que vinha até mim no reino metafísico. Utilize-o como o faria com outros símbolos, intensificando-o com Cho Ku Rei.

Sugiro enviar uma sessão de Reiki de três horas com esse símbolo para nosso sistema educacional, que possui muitos obstáculos ao aprendizado e à liberdade. Como com os demais símbolos, faça o necessário até encontrar o tempo e o espaço sagrados para a harmonização, limpando sua aura e acendendo velas, caso deseje. A seguir, há o cântico de harmonização para esse símbolo:

Abençoados Aqueles que nos trouxeram o Reiki
Abençoados Aqueles que continuam esta luz sagrada
Peço a harmonização do Reiki Open the Mountain from the Inside
Para o Primeiro e Segundo Graus
Bênçãos a todos
Bênçãos a mim

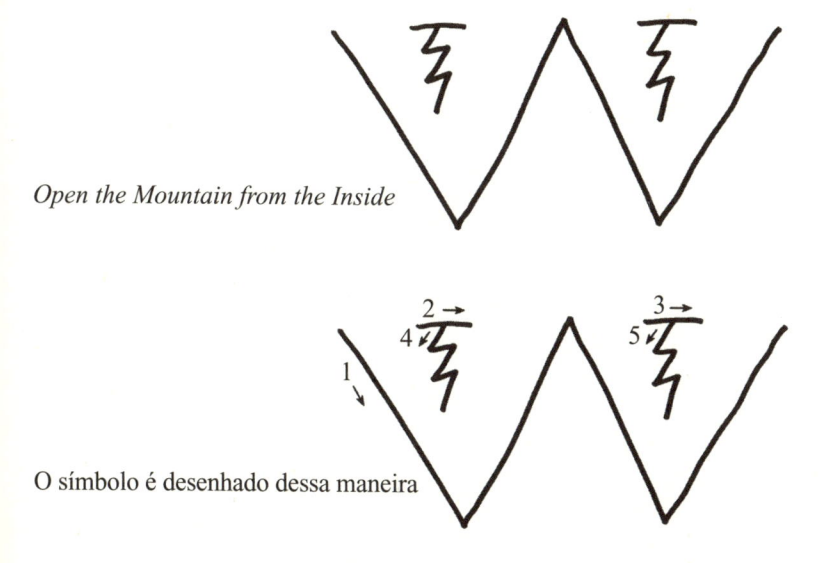

Open the Mountain from the Inside

O símbolo é desenhado dessa maneira

Utilize esse símbolo em você, a fim de ajudar a liberar suas próprias limitações. Empregue-o em sua comunidade, para ajudar escolas e todos os centros de aprendizado a serem emocionalmente abertos e instituições intelectualmente livres.

Mary and the Three Virgins

Eu derivei esse símbolo de Virgem Maria. *Mary and the Three Virgins* é utilizado para trazer uma sensação de ser consolado, de saber que você não está sozinho em seus empenhos. Como os outros símbolos, é intensificado utilizando-se Cho Ku Rei antes e depois. A vibração dele é muito suave, muito agradável.

A troca de energia sugerida para esse símbolo é enviar três horas de Reiki utilizando-o a uma parte do mundo que pareça tumultuada. Isso mudará de tempos em tempos, mas o Oriente Médio é, em geral, um bom lugar para se começar. Centros de cidades, guetos, abrigos de sem-teto também são lugares que podem se beneficiar com essa energia. Utilize seu próprio guia interior para determinar o melhor lugar para enviar esse tratamento ou faça outra boa ação que pareça correta.

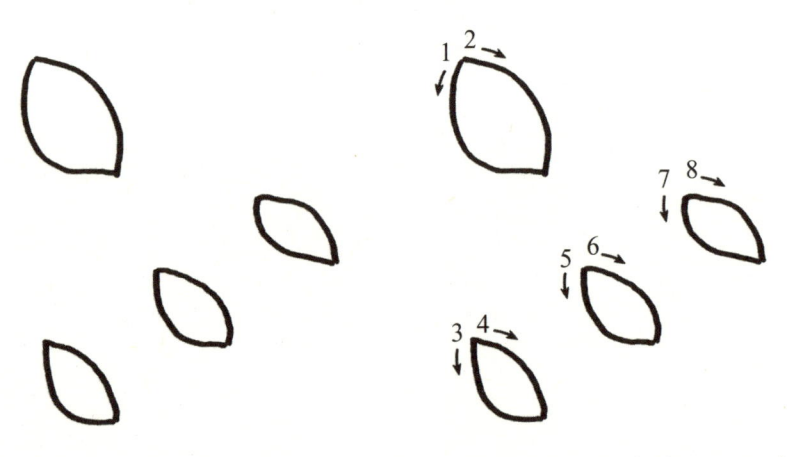

Mary and the Three Virgins   O símbolo é desenhado dessa maneira

Trate esse momento de harmonização como sagrado e faça o que for necessário para tirar máximo proveito desse dia. A seguir, o cântico de harmonização:

Abençoados Aqueles que nos trouxeram o Reiki
Abençoados Aqueles que continuam esta luz sagrada
Peço a harmonização do Reiki Mary and the Three Virgins
Para o Primeiro e Segundo Graus
Bênçãos a todos
Bênçãos a mim

Utilize esse símbolo sempre que você ou outra pessoa que conheça estiver em um momento de confusão ou desespero.

Mezzerenthra

Mezzerenthra é utilizado para intensificar sua conexão com o Reiki e a fonte do Reiki. Trata-se de um símbolo que pode ser usado para prolongar e aprofundar seu caminho pelo Reiki.

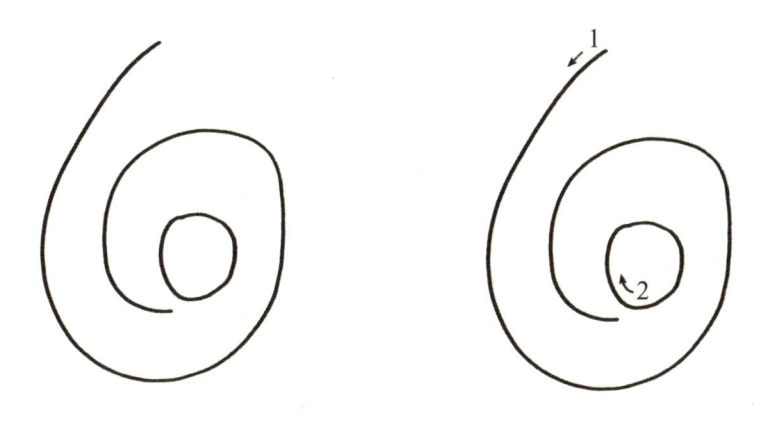

Mezzenrenthra   O símbolo é desenhado dessa maneira

Para a troca energética desse símbolo, sugiro enviar um tratamento de três horas para a humanidade como um todo, que pode aprofundar sua conexão com o Reiki. Mas, novamente, outras boas ações podem funcionar como sua troca energética. Faça o que for necessário para criar seu tempo e espaço sagrados para receber a harmonização, e, quando estiver preparado, entoe o seguinte cântico:

Abençoados Aqueles que nos trouxeram o Reiki
Abençoados Aqueles que continuam esta luz sagrada
Peço a harmonização do Reiki Mezzerenthra
Para o Primeiro e Segundo Graus
Bênçãos a todos
Bênçãos a mim

Utilize esse símbolo para aprofundar sua conexão espiritual com o Reiki e torná-lo uma parte maior de sua vida.

Símbolos para limpar chacras

Os sete símbolos a seguir – um para cada chacra – são utilizados para limpar os chacras. Para usá-los, simplesmente habilite os símbolos com Cho Ku Rei, enquanto trabalha no chacra que pretende limpar ou próximo a ele. Utilizar esse sistema de símbolos pode ser uma ótima maneira de equilibrar seu campo energético e manter boa saúde, tanto emocional como fisicamente. Recomendo fazer um tratamento curto em cada chacra, todos os dias, por apenas alguns minutos. Os símbolos estão a seguir, e o cântico é apresentado depois do sétimo símbolo.

Om Shee Nu Va (chacra raiz)

Om Shee Nu Va

O símbolo é desenhado dessa maneira

Kali Yoni (chacra do sexo e das emoções)

Kali Yoni

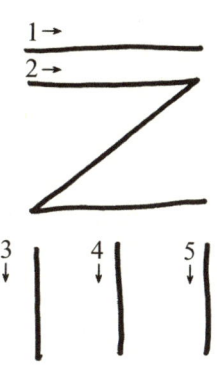

O símbolo é desenhado dessa maneira

Va Shna Hei (chacra do poder)

Va Shna Hei

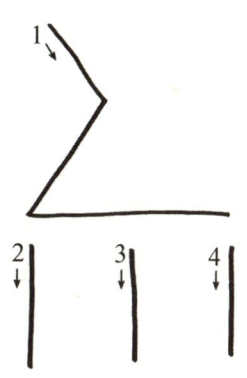

O símbolo é desenhado dessa maneira

Sama Dee Nah (chacra do coração)

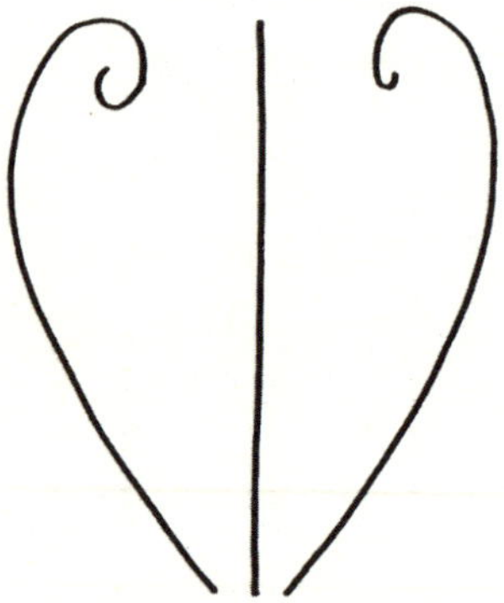

Sama Dee Nah

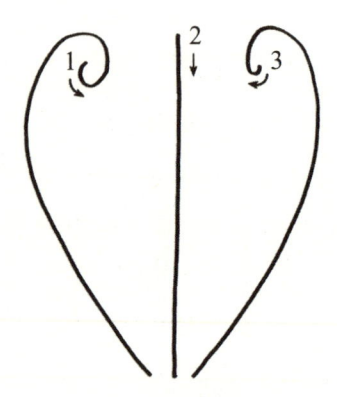

O símbolo é desenhado dessa maneira

Ushta Rollo Veh (chacra da garganta)

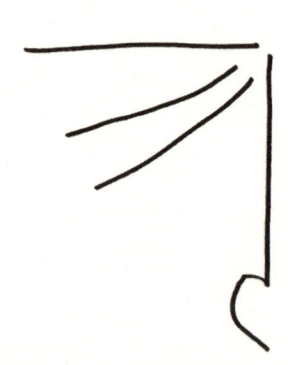

Ushta Rollo Veh

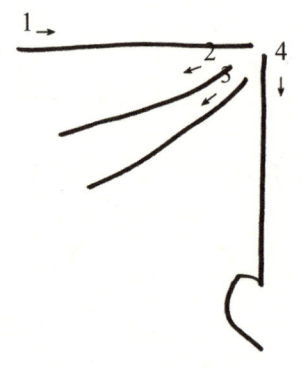

O símbolo é desenhado dessa maneira

Brahma Vo (chacra do terceiro olho)

Brahma Vo

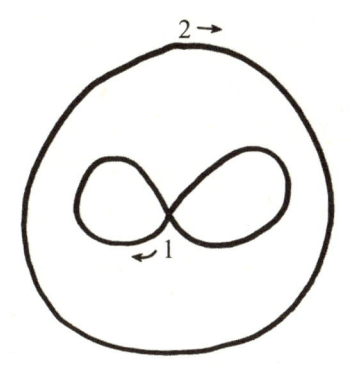

O símbolo é desenhado dessa maneira

So Mah Kee (chacra da coroa)

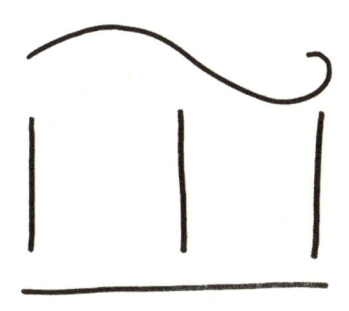

So Mah Kee

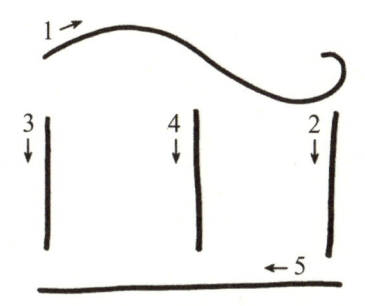

O símbolo é desenhado dessa maneira

Para a troca energética, utilize seu próprio discernimento. Faça alguma boa ação que pareça correta. Embora haja sete símbolos nesse grupo, eu realmente penso que, por essa razão, você deveria realizar 21 horas de Reiki. Os símbolos trabalham como um grupo, portanto, enviar cinco horas de Reiki para uma causa válida seria o correto. Utilize seu próprio julgamento sobre isso.

Faça o que for necessário para definir o espaço sagrado por conta própria e, depois, entoe o cântico de harmonização a seguir:

Abençoados Aqueles que nos trouxeram o Reiki
Abençoados Aqueles que continuam esta luz sagrada
Peço a harmonização do Reiki destes símbolos:
Om She Nu Va, Kali Yoni, Va Shna Hei, Sama Dee Nah,
Ushta Rollo Veh, Brahma Vo, So Mah Kee
Para o Primeiro e Segundo Graus
Bênçãos a todos
Bênçãos a mim

Utilize esses sete símbolos para manter o equilíbrio e a harmonia em seu dia a dia.

Capítulo 13

Símbolos do Terceiro Grau do Reiki

No Terceiro Grau do Reiki, você está harmonizado e treinado com a capacidade de harmonizar outras pessoas com o Reiki. Mais uma vez, não pretendo fazer deste livro um guia para treinamento profissional. Para ser um bom Mestre de Reiki, são exigidas muita paciência e habilidade intuitiva. Se você deseja esse tipo de caminho, faça treinamento adequado, de modo que compreenda plenamente as questões que não são exploradas neste livro. Ser um Mestre de Reiki requer compreensão da psicologia humana e do desenvolvimento da alma, que não podem ser aprendidos com a leitura de um livro. Recomendo com muita insistência que você apenas utilize esta informação para si e para sua própria cura. Harmonizar-se a esse nível lhe permitirá a liberdade de explorar plenamente o Reiki como meio de modificar sua própria vida. Essa é a intenção ao fornecer a você esta informação. Pode haver alguém que fará mau uso do que está sendo oferecido aqui. Eu envio esta advertência a esses indivíduos: não faça mau uso ou representação dessa energia Divina, pois as consequências são carmas negativos severos.

Exponho essa informação com a esperança e a crença de que, por fim, ajudará a humanidade a suportar as mudanças necessárias para manifestar um mundo que é uma verdadeira Utopia. Meus esforços para tal são sinceros, embora perceba que isso também mudará radicalmente o mundo do Reiki.

As coisas que desejo explorar ao oferecer o Terceiro Grau do Reiki neste livro envolvem técnicas que permitirão que alguém libere harmonizações, além de fornecê-las. É algo que a maioria dos Mestres de Reiki não tem consciência. Eu também desenvolvi técnicas para harmonizar alimentos, velas, partes do corpo e cordões do Reiki pela matriz tempo-espaço que têm o poder de acelerar bastante a capacidade humana em curar. Há também algumas maneiras de harmonizar pedras com o Reiki e usá-las para a cura. Se a ciência descobrisse como extrair essa vibração de energia proveniente das pedras, a humanidade teria uma fonte de energia infinita, pois as pedras fluem Reiki constantemente. Ao oferecer o Terceiro Grau para toda a humanidade, espero que o impacto seja a revolução na ciência e na consciência humanas. Não consigo mais ver a retenção dessa informação e apenas confio que o Divino será nosso guia no modo como essa informação é utilizada. Com essa compreensão, deixe-nos seguir adiante no exame dos símbolos do Terceiro Grau do Reiki.

Símbolo do Mestre Tibetano (Daikomyo)

O primeiro símbolo que observaremos é referido como o símbolo do Mestre Tibetano. Seu nome origina-se do fato de algumas pessoas ligarem o Reiki ao Tibete. O símbolo também é chamado de Daikomyo, como outro símbolo. Daikomyo significa "Grande Ser do Universo, brilhe sobre mim, seja meu amigo". Os usos de ambos os símbolos de Daikomyo incorporam a energia e o significado dessa frase. O símbolo do Mestre Tibetano é utilizado para passar a harmonização do Reiki pelo chacra da coroa, em uma técnica chamada de "o sopro violeta".

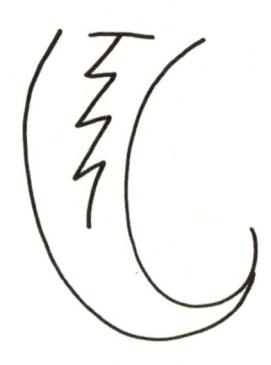

Símbolo do Mestre Tibetano

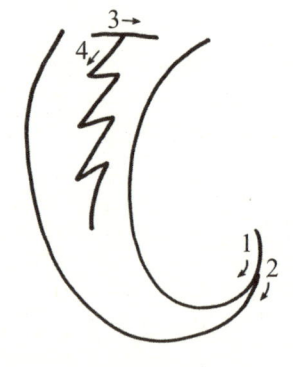

O símbolo é desenhado dessa maneira

Símbolo do Mestre Usui (Daikomyo)

O segundo símbolo que também se refere ao Daikomyo é o símbolo do Mestre Usui. É utilizado também no processo de harmonização e pode intensificar outros símbolos do mesmo modo que o Cho Ku Rei, mas com uma intensidade mais elevada.

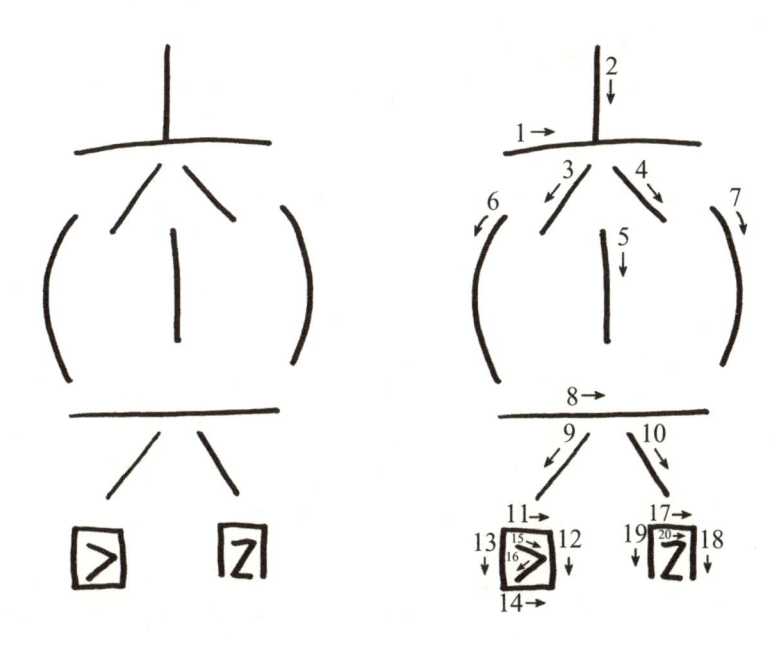

Símbolo do Mestre Usui

O símbolo é desenhado dessa maneira

Raku (Dragão de Fogo)

O terceiro símbolo aprendido no Terceiro Grau do Reiki chama-se Raku. Alguns outros Mestres de Reiki referem-se a ele como Dragão de Fogo. É utilizado para abrir a aura durante o processo de harmonização.

Raku   O símbolo é desenhado dessa maneira

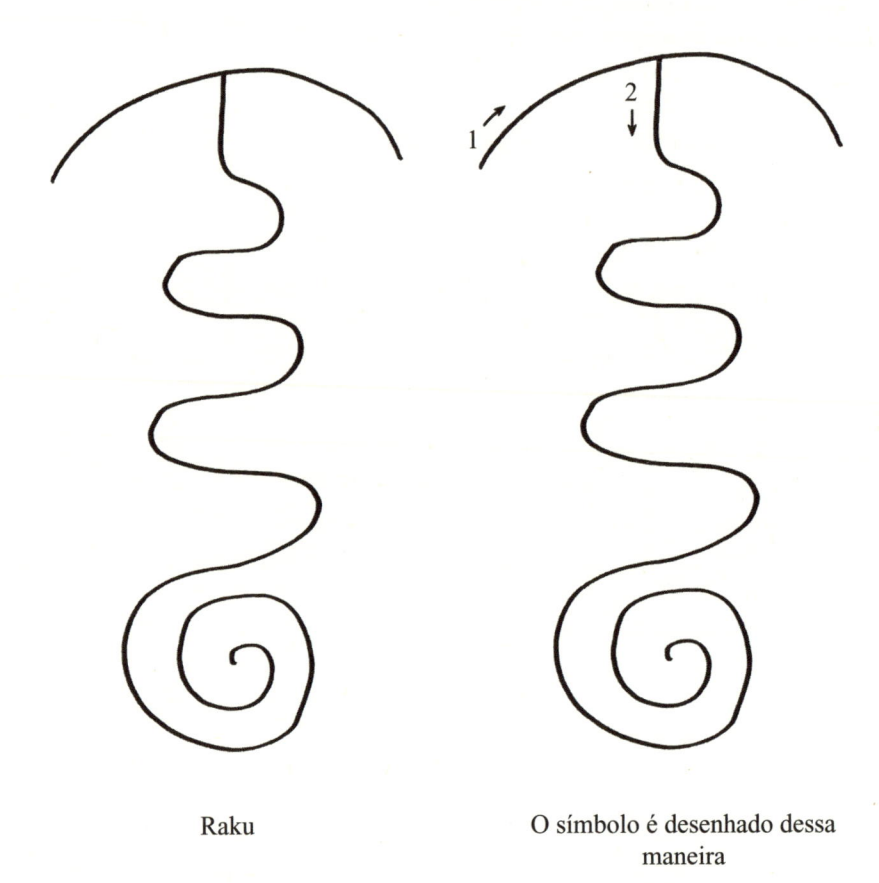

Utilizando os símbolos do Terceiro Grau do Reiki

Como utilizar os símbolos do Terceiro Grau do Reiki é algo que você deve aprender no contexto do aprendizado do processo de harmonização do Reiki. Isso será explorado com mais detalhes no capítulo 17. Por hora, é importante memorizar completamente o cântico e a técnica para desenhar cada símbolo. Pratique diariamente, até que consiga desenhar e entoar cada símbolo sem dificuldade.

Capítulo 14

Harmonização do Terceiro Grau do Reiki

Uma das experiências mais sagradas que eu já tive nesta vida foi harmonizar-me com o Terceiro Nível do Reiki. Durante dias depois, senti uma conexão extrema com o Divino e uma consciência da santidade que existe em todas as coisas. Foi lindo.

Ouvi que simplesmente estar harmonizado com o Reiki no Terceiro Nível o ajuda a clarear seu caminho de alma e missão de vida. As lições de vida sempre vêm mais rapidamente quando você se harmoniza em qualquer nível do Reiki, mas no Terceiro Nível há uma mudança profunda que ocorre no nível de alma. Você nota de repente coisas em sua vida que nunca fizeram sentido antes de se tornarem claras. Uma compreensão surgirá e com ela virá a habilidade de aprender suas lições e ir mais longe em seu caminho evolucionário.

Troca energética para harmonização

O comprometimento para a troca energética neste nível deve ser significantemente maior do que em todos os outros. Embora discorde do conceito de cobrar 10 mil dólares por essa harmonização, muitas pessoas pagaram essa quantia para se harmonizar com o Terceiro Grau do Reiki. A realidade é que as mudanças e bênçãos que vêm até você com essa harmonização não têm preço. Portanto, leve isso em consideração ao realizar suas boas ações. Se você escolher enviar o Reiki como boa ação, recomendo 12 horas em direção a uma causa válida, como curar a Terra, eliminar o racismo ou pôr fim à fome mundial. Você obviamente não precisa enviar todas as 12 horas de uma vez. Divida-as por semanas, enviando tratamentos de 30 minutos a uma hora até que tenha atingido 12 horas ou mais.

Preparação para harmonização

Como em outras harmonizações que são oferecidas neste livro, você desejará encontrar um espaço sagrado para si, tomar um banho de sal grosso e acender velas ao dr. Usui e ao Divino, se considerar apropriado. Realmente, certifique-se de que você terá o dia inteiro para si, visto que sua consciência estará aberta para novos reinos com essa harmonização.

A experiência de harmonização

Quando o dia e a hora estiverem certos, entoe o cântico de harmonização a seguir e harmonize-se ao Terceiro Grau do Reiki:

Abençoados Aqueles que nos trouxeram o Reiki
Abençoados Aqueles que continuam esta luz sagrada
Peço a harmonização do Terceiro Grau do Reiki
Bênçãos a todos
Bênçãos a mim

Uma vez harmonizado, dedique tempo para, de fato, absorver a beleza do que aconteceu a você. Aprecie esse dia. Caminhe na mata ou na praia. Escreva poemas. Aprecie as coisas belas da vida, as quais essa harmonização ilumina ao modificar sua consciência.

Capítulo 15

Harmonizando Pedras e Velas com o Reiki

O Terceiro Grau do Reiki diz respeito, principalmente, ao processo de harmonização. Para aprender como passar uma harmonização de Reiki, você precisa, em primeiro lugar, ter memorizado os símbolos, como mencionado anteriormente. Além disso, a maioria das pessoas precisa aprender uma técnica para elevar a energia durante o processo de harmonização. Isso envolve fechar os portais energéticos ao contrair o músculo no Hui Yin, um portal energético entre o ânus e os genitais, além de elevar a língua até o palato superior, atrás dos dentes, o qual fecha outro portal energético, permitindo que o nível de energia de alguém se eleve a uma vibração mais alta. Algumas pessoas envolvidas com xamanismo, magia ou outras formas de trabalho com energia espiritual, antes de chegarem ao Reiki geralmente tinham uma vibração alta suficiente para passar uma harmonização sem acrescentar nada mais. Porém, a maioria dos Mestres de Reiki precisa de tempo para desenvolver essa técnica específica.

Elevando seu nível energético

O Hui Yin é um ponto de acupressão entre o ânus e os genitais. Lá existe um pequeno músculo chamado períneo, que pode ser contraído. Quando se contrai esse músculo e também se eleva a ponta da língua até o céu da boca, logo atrás dos dentes, sua vibração geral aumenta a um nível mais alto. É desse nível alto de energia que a capacidade de realizar Reiki pode ser passada de um indivíduo a outro durante uma harmonização.

Dedique algum tempo à prática de contrair o músculo no Hui Yin, enquanto levanta a ponta de língua para tocar o céu da boca, cerca de 2,5 centímetros atrás dos dentes da frente. Pode levar algumas semanas para se ficar bom nisso. Você deseja atingir um nível em que pode manter essa posição por bastante tempo; essa posição é mantida durante todo o processo de harmonização, o que pode ser bastante prolongado, se realizado em grupo. Quando tiver habilidade para manter essa posição durante minutos, experimente realizar uma harmonização de Reiki em uma pedra.

Harmonizando pedras

Pedras emitirão Reiki quando harmonizadas, e eu as usei com frequência em mim, como curadores de Reiki vindos de um reino mineral. Praticar em pedras é algo que o ajuda a aprender como passar uma harmonização para um humano, além de criar ferramentas de cura maravilhosas que podem ser utilizadas para você ou para dar aos outros como presentes.

Para iniciar o processo de harmonização para uma pedra, desenhe no ar todos os seis símbolos tradicionais do Segundo e do Terceiro Graus do Reiki sobre a pedra. Em uma harmonização humana, isso é realizado principalmente para proteger uma pessoa que está sendo harmonizada enquanto sua aura é aberta durante o processo; mas sugiro utilizar esse escudo protetor quando se realizam harmonizações em pedras também. É bom criar o hábito de desenhar os seis símbolos para esse propósito, começando com o símbolo do Mestre Tibetano, depois Raku, então o símbolo do Mestre Usui, depois Cho Ku Rei, em seguida Sei He Ki e finalmente Hon Sha Ze Sho Nen.

Após desenhar todos os seis símbolos tradicionais no ar, forneça ao Universo uma intenção mental, sendo a harmonização para o Primeiro ou Segundo Grau (se for para o Terceiro Grau, o processo de harmonização é um pouco diferente). Agora, contraia o períneo e eleve a língua até o palato superior, atrás dos dentes (mantenha assim, se você conseguir, durante toda a harmonização). Em seguida, desenhe Raku no ar, sobre a pedra, o que a abre para receber o restante dos símbolos do Reiki.

A essa altura, você espera o que é chamado de sopro violeta. Você verá uma imagem violeta do símbolo do Mestre Tibetano em sua mente. Quando vir isso, visualize o símbolo aparecendo em sua boca e, depois, sopre-o para a pedra.

Após ter acontecido o sopro violeta e ele sido passado para a pedra, desenhe sobre ela o símbolo do Mestre Usui no ar e o guie até a pedra, com a mão, visualizando-o penetrar no centro da pedra. Repita exatamente o mesmo processo, desta vez com Cho Ku Rei, desenhando o símbolo no ar e guiando-o até a pedra. Depois, repita o mesmo processo usando Sei He Ki. Conclua essa parte da harmonização desenhando Hon Sha Ze Sho Nen sobre a pedra e guiando-o para ela, como os outros símbolos. Se você estiver acrescentando um símbolo alternativo, desenhe-o no ar e o guie como os demais símbolos. O símbolo Raku é o único símbolo do Reiki que não é guiado até a pedra; é apenas utilizado para abrir a pedra a receber os símbolos.

Em seguida, vire a pedra e desenhe Cho Ku Rei sobre ela, no ar. Agora, utilizando a mesma mão que você desenhou Cho Ku Rei, bata na pedra três vezes e entoe mentalmente Cho Ku Rei em cada batida. Repita o mesmo processo utilizando Sei He Ki, desenhando-o no ar uma vez, enquanto bate na pedra e entoa três vezes. Repita o mesmo processo com Hon Sha Ze Sho Nen. Se acrescentar um símbolo alternativo, repita o mesmo processo, dessa vez com o símbolo alternativo.

Agora, mantenha as duas mãos sobre a pedra e sopre de uma ponta da pedra para outra; depois, repita.

A essa altura, peço mentalmente para que essa pedra canalize o Reiki com o amor e a sabedoria Divinos. Então selo o processo visualizando três símbolos Cho Ku Rei sobre a pedra e digo mentalmente: "Este processo está selado com o amor e a luz Divinos". Então viro a pedra novamente e, enquanto solto o períneo e a língua, dou um sopro final, o qual é uma bênção à pedra que agora está harmonizada com o Reiki.

Pratique isso em quantas pedras desejar. Em uma visão xamânica de mundo, essas pedras têm consciência e devem ser questionadas se desejam ser harmonizadas. Em outras palavras, não saia simplesmente e agarre qualquer pedra aleatória que encontrar e a harmonize. Transmita sua intenção de encontrar a pedra exata, uma que deseje ser harmonizada. Ouça sua intuição, você será chamado a uma pedra que está em concordância com esse desejo.

Após sintonizar a pedra, segure-a em suas mãos e sinta o Reiki fluindo dela (se for harmonizada com um símbolo alternativo, você sentirá a energia desse símbolo em particular). Essa é uma boa maneira de adquirir confiança de que o método de harmonização funciona. O que mais faria a pedra emitir Reiki se não a harmonização? Às vezes, quando harmonizamos uma pessoa com o Reiki, você deve pensar que talvez seja apenas um truque, que suas mãos estão aquecendo porque ela acredita na harmonização. Mas, quando se trabalha com pedra, é confirmado que as harmonizações do Reiki são válidas e reais. Continue trabalhando com esse processo de harmonização de pedras até que tenha total confiança em sua habilidade de passar uma harmonização. Pratique até que seja fácil e sem esforço. Utilize as pedras para sua própria cura, colocando-as em partes de seu corpo que necessitem do Reiki. Eu geralmente caio em um sono relaxante quando faço isso para mim. Você também pode utilizar as pedras na cura de outros, tratando-as como uma mão extra que está fluindo Reiki.

Harmonizando velas

Depois de ganhar confiança ao trabalhar na harmonização de pedras com o Reiki, é o momento de trabalhar com a harmonização de velas. O motivo pelo qual sugiro harmonizar velas é que aprendi que, ao sintetizar Reiki com a mágica das velas, é possível enviar o Reiki durante horas ou até dias para situações específicas ou para curas intensas. A magia das velas ativa-as com as energias espirituais, em geral com o uso de óleos, ervas ou marcações ritualizadas, como runas, símbolos angélicos ou sinais planetários acrescentados à vela para carregar a função energética pretendida. Na magia das velas de Reiki, estamos simplesmente harmonizando a vela com o Reiki como o meio primário de habilitá-la. Certa vez harmonizei uma vela para um amigo que tinha doença de Lyme nos estágios iniciais. A penicilina não estava eliminando a enfermidade, sequer os métodos alternativos o estavam ajudando, nem mesmo os tratamentos tradicionais do Reiki. Ele superou a doença apenas depois de usarmos um tratamento de velas harmonizadas com o Reiki, para enviar a ele cura intensiva durante sete dias diretos. Isso revelou a mim quanto as poderosas velas harmonizadas com o Reiki podem ser uma ferramenta curativa.

Quando harmonizo uma vela com o Reiki, geralmente utilizo uma vela grande, capaz de queimar com segurança durante vários dias. Certifico-me de que, quando queimo uma, coloco-a em um pote ou em outro recipiente de vidro sobre um reservatório de água. Geralmente utilizo minha banheira para isso, enchendo seu fundo com 2,5 a 5 centímetros de água e colocando o recipiente de vidro com a vela na banheira. Se você não puder cercá-lo com água, não a deixe queimar continuamente.

Para harmonizar a vela, contraia o períneo e eleve a língua até o palato superior, ao mesmo tempo em que desenha no ar todos os seis símbolos tradicionais do Reiki, acrescentando quaisquer símbolos alternativos que também esteja usando nessa harmonização. Feito isso, transmita sua intenção mental de qual nível de harmonização se trata (eu sempre utilizo, nesse caso, o Segundo Grau, uma vez que pretendo que as velas enviem o Reiki pela matriz tempo/espaço). Depois, desenhe o Raku no ar, de cima a baixo da vela. Agora que a vela pode receber os símbolos, aguarde o sopro violeta e sopre-o na parte superior da vela, visualizando-o descer pelo centro. Em seguida, desenhe o símbolo do Mestre Usui sobre a parte superior da vela e visualize-o descendo pelo centro da vela. Repita isso com Cho Ku Rei, desenhando-o na parte superior, depois guiando-o com sua mão primeiramente e, então, sua mente, pelo centro da vela. Repita isso com Sei He Ki. Finalmente, repita com o símbolo Hon Sha Ze Sho Nen. Acrescente símbolos alternativos a essa altura, se desejar, utilizando o mesmo processo anterior.

Uma vez posicionados os símbolos na parte superior da vela, vire-a e desenhe o Cho Ku Rei na base da vela. Utilize a mesma mão para bater na base três vezes enquanto entoa Cho Ku Rei em cada batida. Repita o mesmo processo com Sei He Ki. Depois, repita exatamente o mesmo processo com Hon Sha Ze Sho Nen. Acrescente símbolos alternativos aqui, se desejar, utilizando o mesmo processo acima. Após Hon Sha Ze Sho Nen ou o último símbolo alternativo ser desenhado, batido e entoado na base da vela, sopre sobre a vela, de cima a baixo, e ao contrário. Então, mentalmente projete a afirmação na vela para que ela envie o Reiki de acordo com o amor e a sabedoria Divinos. Sele o processo com os três símbolos Cho Ku Rei visualizados sobre a vela e diga mentalmente: "Agora eu selo este processo com o amor e a luz Divinos". Solte então o períneo e a língua de suas posições mantidas enquanto soprava uma bênção sobre a vela. Com a vela harmonizada, você agora dispõe de uma ferramenta que pode enviar Reiki durante horas ou até dias. No próximo capítulo, será mostrado como utilizar essa nova ferramenta.

Capítulo 16

Utilizando Pedras e Velas de Reiki

No capítulo anterior, foi mostrado como harmonizar pedras e velas com o Reiki. Parte disso é para que você possa praticar e se tornar versado no processo de harmonização. No entanto, pedras e velas que foram harmonizadas com o Reiki podem ser ferramentas maravilhosas. Primeiramente, vamos observar como utilizar pedras que estão harmonizadas com o Reiki.

Como utilizar pedras de Reiki

O ponto ótimo em relação a utilizar pedras harmonizadas com o Reiki é que pode colocá-las em seu corpo e permitir-se relaxar de modo que você pode não ser capaz quando fornece a si mesmo um tratamento de Reiki. As pedras emitem Reiki de modo constante. Elas não se cansam, não o cobram pela hora. Se você deseja Reiki por duas ou três horas durante um período de doença, essas pedras curadoras são perfeitas em tais situações.

Eu geralmente tenho um grande estoque de pedras de Reiki. Algumas estão harmonizadas ao Reiki normal e outras, com símbolos alternativos. Aquelas que estão harmonizadas com símbolos alternativos emitem a energia daqueles símbolos constantemente. Uso, em geral, apenas um símbolo alternativo por pedra por esse motivo, mas você pode utilizar mais, caso deseje aquelas energias combinadas e fluindo ao mesmo tempo.

Minha maneira preferida de utilizar uma pedra do Reiki é posicionar uma que esteja harmonizada com o Reiki *One Love* na parte posterior do meu chacra do coração, de modo que eu seja capaz de relaxar virado para baixo. As pedras descansam em minhas costas, sobre a região do meio para cima de minha coluna, fluindo o Reiki *One Love* para a parte posterior de meu chacra do coração. Essa é uma experiência maravilhosa para qualquer um ter em algum momento, mas também pode ser uma experiência de cura para quem se sente mal-amado ou não digno de amor. Apenas mantenha a pedra lá tanto quanto desejar. Quando finalizar, honre a pedra limpando-a com água e devolva-a ao lugar especial em sua casa. Eu coloco minhas pedras de Reiki próximo a plantas em meu apartamento, às vezes até cercando uma planta com pedras de Reiki na terra. As plantas parecem gostar, assim como as pedras.

Outro tratamento legal envolve utilizar duas pedras harmonizadas com símbolos tradicionais do Reiki. Coloque uma pedra em seu cóccix e a outra em seu pescoço, enquanto se mantém deitado de bruços. O Reiki fluirá entre as pedras, ao longo de sua coluna. Essa é, em essência, a técnica de equilíbrio da coluna descrita no tratamento de Reiki para outros (ver capítulo 6). No entanto, graças às pedras você pode ter esse tratamento por conta própria sempre que desejar.

É óbvio que utilizar pedras para autotratamento dessa maneira permite a você a liberdade de relaxar por completo. Não há necessidade de deixar os braços em uma posição específica ou se manter alerta para o que fazer em seguida. Simplesmente posicione as pedras onde desejar receber Reiki e relaxar. E, se você tiver uma condição específica que precise de atenção, posicione diversas pedras na região que necessita de cura. Por exemplo, uma pessoa sendo tratada para o câncer pode desejar posicionar diversas pedras harmonizadas ao Reiki do *Rish Tea* sobre uma região em que a doença está presente no corpo. Uma pessoa com bronquite pode desejar posicionar diversas pedras no peito. Mais uma vez, você é apenas limitado por sua imaginação e pelo número de pedras disponível. Quando concluir um tratamento com pedras de Reiki, remova-as e permita-se algum tempo para estabelecer-se. Você pode fazer isso realizando alguns minutos de Reiki nos seus pés.

Uma maneira interessante de equilibrar sua energia é simplesmente segurar uma pedra do Reiki em cada mão durante cinco minutos. Enquanto as pedras fluem Reiki pelos seus braços, você também está fluindo Reiki para as pedras, o que significa que o Reiki está entrando por sua coroa e tratando a metade superior de seu corpo. Isso acontece toda vez em que você oferece Reiki, mas ter as pedras fluindo Reiki pelos seus braços e vice-versa durante esse período realmente amplifica o efeito. Segurar pedras dessa maneira o deixará com a sensação de tranquilidade, clareza e equilíbrio.

Uma observação final sobre o uso de pedras no Reiki: notei que, quanto mais pesada a massa da pedra, mais intenso o Reiki parece fluir através dela. Eu prefiro ter uma variedade de tamanhos para propósitos diferentes. Tenho duas pedras que são achatadas e cobrem a maior parte de minha barriga, emitindo um fluxo intenso de Reiki. Também mantenho algumas pedras pequenas que eu posso colocar sobre minha testa e rosto, mas não espero obter os mesmos resultados de pedras menores. Quando trabalho com pedras menores, utilizo diversas delas em um tratamento, de modo que o Reiki entre elas seja amplificado. Mais uma vez, incentivo-o a experimentar por conta própria e chegar às suas próprias conclusões em relação ao que funciona melhor para você.

Como utilizar velas de Reiki

Velas do Reiki não são tão simples de utilizar quanto as pedras, mas elas possuem uma capacidade muito maior de promover mudanças significativas a longo prazo com o Reiki que é enviado. Isso ocorre porque o Reiki pode ser enviado literalmente por dias de uma só vez. Pense nisto: se um tratamento com duração de uma hora pode promover bem-estar, o que pode fazer um tratamento de 30 horas? A possibilidade de exagerar realmente existe, mas, quando utilizada de forma sábia, uma vela do Reiki é um meio muito potente de tratar tanto doenças físicas como problemas situacionais.

Para utilizar uma vela do Reiki quando você estiver harmonizado com ele, simplesmente escreva na vela para onde se pretende enviar o Reiki. Por exemplo, você pode escrever: "Esta vela envia Reiki para fazer minha semana límpida, aberta e agradável". Geralmente utilizo uma caneta tipo marcador para escrever no envoltório de vidro da vela, mas você pode usar uma pequena faca ou alfinete para escrever na cera, caso prefira. Uma vez escrita a intenção, então carregue a vela com sua própria energia psíquica posicionando uma mão na parte superior da vela e a outra sobre a base dela; visualize a vela enchendo-se com seu próprio combustível psíquico. É esse combustível que dá à vela a energia para realizar o trabalho de mágica. A mágica que você está solicitando que ela faça é enviar o Reiki de acordo com sua intenção. Mais uma vez, certifique-se de que sua intenção é para si ou para alguém que deu a permissão para sua ajuda. Após escrever sua intenção e carregar a vela, coloque-a em um local seguro para queimar durante horas ou dias. Isso significa colocá-la em algum reservatório cheio de água, a poça maior do que a altura da vela. Isso é para que, caso a vela caia, seja apagada pela água. Isso é absolutamente necessário. Quaisquer outros meios, a menos que você possa estar constantemente no mesmo cômodo que a vela, são inseguros.

Utilizei velas do Reiki em minha própria jornada de cura pessoal para ajudar a aliviar feridas emocionais do passado. Isso não é algo que eu recomendaria fazer até que você estivesse claramente preparado para tal. Pode ser emocionante e deixá-lo sentindo-se sem chão durante dias. Porém, se você estiver buscando atingir o cerne de uma questão que não se resolve, recomendo utilizar uma vela grande que possa queimar durante uma semana sem interrupção. Você encontrará essas velas, geralmente, em livrarias de publicações metafísicas. Carregue a vela para enviar Sei He Ki para a cura mental. Deixe-a queimar durante uma semana. Certifique-se de beber muito líquido durante esse período, pois tanto Reiki faz com que seus rins trabalhem demais. Se você não ingerir grandes quantidades de água e suco, ficará desidratado no decorrer desse tipo de tratamento, o tipo de desidratação que provoca dores de cabeça. Ao término dessa semana, você deve notar algumas mudanças profundas em suas próprias percepções e emoções quanto à questão à mão.

Utilizar velas de Reiki é excelente para tratar todos os problemas – do ponto de vista físico, mental ou situacional. Mais uma vez, você é apenas limitado por sua imaginação e o livre-arbítrio dos outros. Velas de Reiki podem ser ótimos curadores. Use-as com sabedoria.

Capítulo 17

Harmonizando Outras Pessoas com o Reiki

A informação deste capítulo é destinada a harmonizar membros da família, parentes, amigos e amantes que desejam explorar mais suas próprias experiências com o Reiki (como afirmei anteriormente, aqueles que desejam se tornar praticantes de Reiki precisam de um treinamento completo, pessoalmente, com um Mestre de Reiki certificado). Eu incluo informações sobre harmonização de Reiki neste livro para fazer do Reiki uma parte integrante da experiência humana e elevar a vibração geral da consciência humana.

A disponibilidade do Reiki para todos

Harmonizar um ente querido é uma das maiores alegrias da vida. Envolver-se nesse ato sagrado com alguém que é próximo de você é espiritualmente enriquecedor além da medida. Eu gostaria que todas as pessoas fossem capazes de ter essa experiência. Além disso, meu guia espiritual me informa que o Reiki não é mais um privilégio, mas sim, na verdade, um direito de todos os humanos, uma parte essencial de nossa evolução contínua como espécie espiritual. Não significa que todos nos tornaremos curadores de Reiki profissionais, pois isso demanda tempo, dedicação e treinamento. Porém, significa que o Reiki – como uma língua energética espiritual, uma fonte de cura para o eu, para os amigos e familiares; como um meio de aprofundar nossa conexão com o Divino e aqueles seres com os quais dividimos este planeta – agora está disponível para aqueles que o desejarem nesse nível.

Um dia, talvez, uma criança receber uma harmonização de Reiki de um pai seja lugar-comum, parte do crescimento e aprendizado sobre a vida. Visto que o Reiki é muito mais um alfabeto energético, talvez tornar-se letrado nesse campo é algo que acontecerá em todos os lares. Assim como há poder em ser alfabetizado, há poder em ter a habilidade de modificar a energia de um cômodo, de um local de trabalho ou de um relacionamento apenas conhecendo os símbolos e estando harmonizado. É um poder reservado atualmente para poucos, em sua maioria os ricos. Como seria ótimo o momento em que todas as pessoas tivessem essa habilidade. Este é um passo para levar a humanidade para esse lugar.

Imagine como a vida teria sido diferente se você tivesse enviado o Reiki Sei He Ki para evitar encontros negativos com valentões quando era criança. Por que as pessoas não deveriam ter essa habilidade? Imagine como seria ajudar a aliviar a dor de um amigo ou pessoa amada em relação a experiências de doenças e lesões. Essa capacidade não deveria ser uma parte comum de nossa humanidade? Tais habilidades existem, e agora temos a capacidade de oferecê-las em uma grande escala. A ideia de que o Reiki é reservado apenas para alguns causa a separação e se afasta da Unidade. A porta deve estar aberta para todos, embora alguns possam escolher desonrar a intenção deste livro ao alegar ser curadores de Reiki treinados quando não o são. Aqueles que se sentem assim são poucos e devem se reduzir ainda mais, pois toda a humanidade começa a fundir-se com essa energia Divina chamada Reiki.

O processo de harmonização do Primeiro e Segundo Graus

Para iniciar o processo de harmonização, desenhe todos os seis símbolos do Reiki (o símbolo do Mestre Tibetano, o símbolo do Mestre Usui, Raku, o Cho Ku Rei, o Sei He ki e o Hon Sha Ze Sho Nen) no ar, enquanto permanece em pé ao lado da pessoa que será harmonizada. A pessoa deve estar sentada, embora isso seja por conveniência, e não absolutamente exigido. Enquanto desenha no ar os seis símbolos do Reiki para proteção, contraia o Hui Yin ao mesmo tempo em que eleva a língua até o céu da boca. Expresse mentalmente sua intenção para harmonização, para que seja tanto no Primeiro como no Segundo Níveis do Reiki. As harmonizações de Terceiro Grau são um pouco diferentes e serão mostradas posteriormente.

Após desenhar os símbolos no ar, contraia o períneo no Hui Yin, eleve a língua até o palato superior e defina a intenção, desenhando o Raku no ar, a partir do alto da cabeça da pessoa até o cóccix, de modo que o espiral final se enrole no cóccix. Isso abre a aura da pessoa para receber os símbolos.

Agora, incline-se sobre a nuca da pessoa, de modo que sua boca fique sobre o topo da cabeça. Peça mentalmente o sopro violeta e espere sua chegada. Quando você o vir, sopre o símbolo violeta do Mestre Tibetano no chacra da coroa da pessoa, no topo da cabeça, e visualize-o descendo para a base do tronco encefálico, onde o crânio se une ao pescoço.

Em seguida, desenhe o símbolo do Mestre Usui sobre a cabeça da pessoa e guie-o, descendo com sua mão e visualizando-o entrar na cabeça da pessoa e descer o tronco encefálico.

Agora bata de leve no ombro da pessoa e peça que ela levante as mãos sobre a cabeça, as mãos unidas como se em uma posição de oração.

Desenhe no ar o Cho Ku Rei sobre as mãos e o topo da cabeça, guiando e visualizando o símbolo passando pelas mãos da pessoa e descendo ao longo do alto da cabeça para o tronco encefálico. Repita isso utilizando Sei He Ki. Repita esse processo uma última vez com Hon Sha Ze Sho Nen. Símbolos alternativos podem ser acrescentados depois do Hon Sha Ze Sho Nen, utilizando-se o mesmo processo.

Agora venha até a frente da pessoa. Puxe suavemente as mãos dela para a frente, de modo que as palmas estejam abertas, os dedos esticados, na frente do tronco. Segure uma de suas mãos sob as mãos da pessoa como apoio e use a outra mão para desenhar no ar o Cho Ku Rei, sobre as palmas da pessoa. Entoe mentalmente o Cho Ku Rei três vezes, enquanto também bate nas palmas dela três vezes.

Uma vez posicionado o Cho Ku Rei nas palmas da pessoa, desenhe no ar o Sei He Ki sobre as palmas e entoe mentalmente o Sei He Ki três vezes enquanto bate as palmas a cada canto.

Após posicionar o Sei He Ki nas palmas da pessoa, repita o processo anterior utilizando Hon Sha Ze Sho Nen. Depois, acrescente algum símbolo alternativo utilizando o mesmo processo.

Agora feche as mãos sobre o peito, de modo que pareça que a pessoa está rezando. A essa altura, sobre os chacras, indo do topo da cabeça até os genitais, e de volta ao topo da cabeça, utilizando um sopro, se possível.

Mais uma vez, mova-se atrás da pessoa, posicionando as mãos nos ombros e repetindo mentalmente esta frase: *Que o amor e a sabedoria Divinos o habilitem para o uso do Reiki.*

Depois, coloque as mãos na base do crânio da pessoa, visualizando três símbolos do Cho Ku Rei pairando e selando o processo. Enquanto faz isso, diga mentalmente: *Agora eu selo este processo com o amor e a luz Divinos.*

Retorne para a frente da pessoa e guie suas mãos suavemente, de modo que uma palma fique sobre o coração dela e a outra, no abdome. Isso permite que a pessoa sinta o novo dom do Reiki fluindo por suas mãos. A essa altura, libere o períneo e a língua enquanto dá um sopro de bênção na pessoa.

Você e a pessoa devem permanecer imóveis por um instante, permitindo que esse momento sagrado esteja com vocês. Deixe a pessoa que acabou de ser harmonizada decidir quando é adequado deixar esse momento sagrado acabar. Algumas pessoas se sentam por dez segundos; outras mantêm esse espaço como se parecesse uma hora, embora provavelmente sejam apenas cinco ou dez minutos.

O processo de harmonização do Terceiro Grau

Para realizar uma harmonização do Terceiro Grau do Reiki, apenas algumas coisas do processo de harmonização são modificadas. Você começa por trás da pessoa, pedindo que ela levante as mãos sobre a cabeça, as mãos unidas, como se prontas para fazer uma oração. Desenhe no ar os seis símbolos tradicionais do Reiki (o símbolo do Mestre Tibetano, o símbolo do Mestre Usui, o Raku, o Cho Ku Rei, o Sei He Ki e o Hon Sha Ze Sho Nen) e contraia o Hui Yin enquanto eleva a ponta da língua para tocar o céu da boca. Você pode pretender mentalmente que a harmonização seja para o Terceiro Grau, embora isso seja inerente, pelo fato de estar proferindo esse tipo de harmonização. Quando os símbolos estiverem desenhados, abra a aura da pessoa com o desenho do Raku no topo da cabeça até o cóccix. Agora espere pelo sopro violeta. Quando ele chegar, sopre o símbolo do Mestre Tibetano através das mãos da pessoa para sua cabeça, na qual ele é visualizado indo até a base do tronco encefálico. Agora desenhe no ar o símbolo do Mestre Usui, sobre as mãos da pessoa, e guie-o por meio das mãos da pessoa até sua cabeça, na qual você o visualiza descer até a base do tronco encefálico. Agora desenhe o Ruku sobre as mãos da pessoa, guiando-a até a cabeça dela e alojando-se na base do tronco encefálico. Repita isso com o

Cho Ku Rei e, então, com o Sei He Ki. Conclua essa parte da harmonização repetindo o mesmo processo com o Hon Sha Ze Sho Nen.

A essa altura, venha até defronte da pessoa e puxe suavemente as mãos dela para que se abram à sua frente, de modo que as palmas fiquem unidas e para cima, os dedos esticados. Desenhe no ar o símbolo do Mestre Tibetano, sobre as palmas, e bata nelas três vezes enquanto entoa Daikomyo em cada uma das batidas. Depois, desenhe no ar o símbolo do mestre Usui, sobre as palmas da pessoa, e bata nelas três vezes enquanto, mais uma vez, entoa Daikomyo em cada batida. Agora desenhe o Raku sobre as palmas da pessoa e bata três vezes nelas enquanto entoa Raku em cada batida. Repita o mesmo processo com o Cho Ku Rei, desenhando o símbolo, batendo nas palmas e entoando. Repita o mesmo processo com o Sei He Ki. Conclua essa parte da harmonização repetindo o mesmo processo com o Hon Sha Ze Sho Nen e soprando a pessoa a partir da cabeça, descendo até sua virilha e subindo de volta à cabeça.

Agora vá para trás da pessoa, posicionando suas mãos sobre seus ombros. Diga mentalmente três vezes: *Que o amor e a sabedoria Divinos guiem você no uso do Reiki.*

Agora posicione as palmas das mãos na base do crânio da pessoa, visualizando três símbolos do Cho Ku Rei, selando o processo no tronco encefálico ao mesmo tempo em que entoa mentalmente o Cho Ku Rei três vezes. Então diga mentalmente: *Agora eu selo este processo como o amor e a luz Divinos.*

Mais uma vez, venha para a frente da pessoa, posicionando as mãos dela, de modo que uma palma repouse sobre o coração e a outra, sobre o abdome. Em seguida, libere o Hui Yin e o elevador occipital enquanto sopra uma bênção à pessoa, sabendo que ela agora está plenamente iniciada no Terceiro Grau do Reiki.

Como em qualquer harmonização, certifique-se de que existem tempo e espaço sagrados para a pessoa absorver plenamente esse momento em toda a sua beleza e maravilha.

Solicitando uma troca energética

Em todas as harmonizações de Reiki que você fornece, é importante solicitar algum tipo de troca energética. Isso é traiçoeiro, pois eu também defendo que você não utilize essa informação para tentar ser um Mestre profissional de Reiki. Uma troca energética é necessária, pois as pessoas que não dão algo em troca, em geral, nunca de fato estimam o dom que agora possuem. Harmonizei algumas pessoas gratuitamente em minha vida, e toda vez a pessoa parecia nunca compreender plenamente o que o Reiki significava ou o que ele poderia fazer, apesar de meus esforços em treiná-las e do fato de essas pessoas serem espiritualizadas e inteligentes. Deter a troca energética parece gerar um curto-circuito na capacidade de compreender o Reiki. Por esse motivo, sugiro pedir a alguém que você harmoniza para cumprir as mesmas trocas energéticas – por exemplo, fornecer energia para ajudar a curar a Terra e a criar um mundo melhor e mais pacífico – mencionadas nos capítulos deste livro em que os cânticos de harmonização do Reiki foram oferecidos.

O processo de harmonização curativa

Aqui está uma variação do processo de harmonização, chamado harmonização curativa, que você deve conhecer bem. Não envolve, na verdade, harmonizar uma pessoa com o Reiki; ao contrário, uma pessoa é habilitada com uma rajada de energia curativa que é, em geral, muito útil. Para realizar uma harmonização curativa, faça o mesmo processo como se para uma harmonização de Primeiro Grau, exceto por algumas mudanças mínimas. Você irá, antes de tudo, expressar a intenção de que a harmonização é de cura, e visá-la a uma questão ou doença específica, caso necessário. Então, desenhe no ar os seis símbolos ao mesmo tempo em que contrai o períneo e eleva a língua até o céu da boca. Dê o sopro violeta no chacra da coroa e guie-o até a base da coluna. Então, desenhe o símbolo do Mestre Usui sobre a cabeça da pessoa e guie-o visualmente até a base da coluna. Repita esse processo com o Cho Ku Rei, sem levantar as mãos da pessoa sobre a cabeça dela. Repita mais uma vez com o Sei He Ki. Finalize esse processo com o Hon Sha Ze Sho Nen.

Venha para a frente da pessoa e sopre sobre os chacras dela, de cima a baixo, e de volta para cima. Mova-se para trás da pessoa, posicione suas mãos nos ombros dela e diga mentalmente três vezes: *Que o amor e a sabedoria Divinos guiem você no uso do Reiki.*

Depois, posicione suas mãos na base do crânio da pessoa, visualize três símbolos do Cho Ku Rei, selando o processo ao ir até o cérebro, e diga: *Agora eu selo este processo com o amor e a luz Divinos.*

Em seguida, retorne para a frente da pessoa e sopre uma bênção curativa final para ela, ao mesmo tempo em que libera o períneo e a língua.

Uma harmonização curativa pode destinar-se a questões físicas, mentais ou até mesmo a apenas ajudar uma pessoa a lidar com sua vida cotidiana.

O que vem em seguida

Sabendo agora como transmitir uma harmonização para cada grau do Reiki e estando harmonizado a todos os seus três graus, você pode sentir como se a jornada tivesse chegado ao fim, mas, na verdade, ela apenas começou. O que vem nas páginas a seguir é informação nova e revolucionária: usos do Reiki que transformam a consciência e modificam a compreensão do que é ele. A informação a seguir é novidade, até para os Mestres de Reiki mais bem treinados.

Capítulo 18

Reiki Sahu

Eu fui harmonizado com o Terceiro Grau do Reiki em 1995. Durante esse ano, gastei grande parte de meu tempo vivendo em uma barraca no Omega Institute for Holistic Studies, em Rhinebeck, Nova York. Muitas das pessoas que vinham para trabalhar no verão viviam em barracas e, como uma delas, tive de abrir mão de minha prática comum de acender velas em meu altar espiritual todas as noites, como fazia quando estava em casa. Para compensar essa ausência em minha vida, comecei a experimentar a utilização do Reiki de maneiras ritualísticas, combinando o Reiki com práticas esotéricas que faziam parte de minha vida espiritual.

O Reiki e a metafísica egípcia

Pelo fato de grande parte de meu caminho espiritual envolver o trabalho com a deusa egípcia Sekhmet, comecei a utilizar o Reiki no contexto da metafísica egípcia. Por fim, conheci Sahu, que é o aspecto mais Divino do ser humano, um corpo energético que existe essencialmente fora do tempo e espaço, podendo ser harmonizado com o Reiki. Como isso se dá será explicado mais tarde.

Harmonizações temporárias para a cura

Hon Sha Ze Sho Nen, assim como Sahu, parece estar além do tempo e espaço – ou, pelo menos, capaz de transcendê-los. Por meio de experimentação acidental, descobri que, quando essas duas forças são trazidas em conjunto, ambas com a capacidade de transcender tempo e espaço, torna-se possível que harmonizações de Reiki sejam liberadas ou desligadas energeticamente.

Uma harmonização de Reiki normalmente dura a vida inteira e não pode ser retirada uma vez fornecida. A vantagem de ter a capacidade de realizar uma harmonização temporária é que alguém pode harmonizar com o Reiki partes do corpo, regiões que estão doentes ou necessitadas de cura intensiva. Não se faria isso sob limitações normais do Reiki, visto que uma harmonização de Reiki comumente não pode ser liberada. Por exemplo, para harmonizar o fígado de alguém com o Reiki da maneira antiga, haveria de ter o órgão fluindo Reiki pelo restante da vida da pessoa. Isso poderia se tornar desgastante para ela e, talvez, até assustador. (Sei isso pela experiência, pois outrora tive uma vértebra harmonizada depois de um acidente que sofri, e ela flui Reiki constantemente. Eu finalmente me acostumei, mas me assustou no início.)

Como a harmonização pode ser liberada? Pelo fato de a harmonização vir de um espaço que pode transcender o tempo e envolver um símbolo que pode transcender o tempo, a questão do tempo torna-se irrelevante. Quando uma harmonização é fornecida por uma pessoa em um corpo físico, o corpo está enraizado na matriz tempo/espaço. Por essa razão, qualquer harmonização que se origina pelo corpo da pessoa está sujeita às limitações dessa matriz. Na matriz tempo/espaço, algo que energeticamente se pressupõe que dure uma vida inteira, durará isso. Mas, quando a harmonização é fornecida de fora do tempo, não está sujeita às mesmas leis, embora a pessoa sendo harmonizada não exista na matriz tempo/espaço. Uma vez que a harmonização não é fornecida de um determinado ponto no tempo, esse elemento da equação é livre e variável aberto. Essa janela aberta, por assim dizer, permite a possibilidade de a harmonização ser liberada pelo Sahu, e apenas por Sahu. Talvez, se eu tivesse uma melhor compreensão da relatividade e das leis da física, pudesse explicar melhor.

Eu não utilizo essa técnica quando harmonizo meus alunos com o Reiki, porque sinto que não tenho o direito de liberar uma harmonização em uma data posterior. Harmonizações que não têm o propósito de formar um curador de Reiki não devem envolver o Sahu, pois elas devem durar uma vida inteira. Os métodos do Reiki Sahu são apenas recomendados para questões de cura específicas; por exemplo, harmonizar o câncer de uma pessoa ao Reiki *Rish Tea* ou os pulmões de uma pessoa quando elas sofrem de pneumonia. Utilizar o método do Reiki Sahu para harmonizar alguém como curador seria injusto, deixando-o com o medo de que essa habilidade pudesse ser retirada a qualquer momento pelo professor. Tal dinâmica não é apenas injusta; também não é sábia.

Talvez a melhor forma de você compreender como o Reiki Sahu funciona e a nova consciência que ela traz ao Reiki e à vida seja experimentando-o. Minha teoria em relação ao porquê de o Reiki Sahu trabalhar da forma que trabalha se baseia em intuição e adivinhação. Minhas experiências com o Reik Sahu, no entanto, resultaram em métodos que podem manifestar curas profundas. As técnicas realmente funcionam e são extremamente recomendadas.

O processo de harmonização Sahu

Em breve você usará o cântico para harmonizar-se com o Reiki no nível Sahu e em todos os três graus do Reiki. Embora o Sahu possa liberar harmonizações, esta está sendo enviada para seu Sahu por mim, em corpo, utilizando o cântico como um veículo para entregar a harmonização. Uma harmonização fornecida dessa maneira ao Sahu não pode ser liberada, embora habilite o Sahu a fornecer harmonizações que podem ser liberadas. Isso ocorre porque, como professor, não posso ver que tenho o direito de liberar essa harmonização. Portanto, uma harmonização de Reiki está sendo enviada por parte de mim que existe no tempo/espaço para parte de você que existe fora do tempo/espaço. Uma vez estando essa parte de você harmonizada, você terá a habilidade de liberar as harmonizações de Reiki que foram fornecidas daquela parte de você que existe fora do tempo/espaço. Você não será capaz de liberar harmonizações que forneceu por meios tradicionais, tampouco harmonizações futuras dadas de modo tradicional serão influenciadas por essa harmonização de seu Sahu. Existe uma técnica individual que o habilitará a enviar harmonizações de Reiki de seu Sahu, uma vez estando harmonizado.

Assim como em todas as demais harmonizações de Reiki, você precisará pensar em uma troca energética apropriada para essa harmonização. Sugiro enviar um total de 24 horas de Reiki em direção ao término da fome mundial. Tal tratamento energético trabalha modificando as formas nas quais pensamos, modificando, assim, as realidades econômicas e políticas que levam à fome.

Você obviamente pode fazer qualquer outra boa ação que lhe parecer correta nesse nível de troca energética.

Lembre-se: estabeleça um dia que seja especial para você, a fim de receber a harmonização. Tome um banho de sal grosso para limpar sua aura. Vá a um lugar que seja sagrado para você. Se desejar, acenda velas ao dr. Usui e ao Divino. Peça a harmonização, recitando o seguinte cântico:

Abençoados Aqueles que nos trouxeram o Reiki
Abençoados Aqueles que continuam esta luz sagrada
Peço que meu Sahu seja harmonizado com o Reiki
Para o Primeiro, o Segundo e o Terceiro Graus
Bênçãos a todos
Bênçãos a mim

Celebre esse dia como desejar, pelo fato de sua visão de mundo ser para sempre modificada com o uso dessa nova habilidade com a qual você foi presenteado.

Capítulo 19

Enviando e Liberando Harmonizações

Enviar e liberar harmonizações de Reiki por meio do Sahu é, talvez, o aspecto mais complexo do Reiki a se compreender em teoria, apesar de, talvez, ser o aspecto mais fácil para se praticar. Deixe-me explicar um pouco a respeito de como descobri os usos do Reiki Sahu.

Como descobri o método de harmonização do Reiki Sahu

Como mencionei anteriormente, o Sahu é o aspecto mais Divino do humano na metafísica egípcia. Nosso corpo energético é quase um deus. Ao trabalhar com a deusa Sekhmet, disseram-me que, se eu visualizasse uma luz dourada descendo de meu Sahu, através de minha boca, indo para a terra, e imaginasse todas as palavras que eu dissesse saindo e sendo formadas por aquela luz dourada, ativaria a energia de meu Sahu em tudo o que eu falasse. Em outras palavras, foi-me dada uma maneira de executar o Hekau ou palavras mágicas de poder. Eu usaria essa técnica apenas quando executasse os ritos mágicos mais sagrados.

Uma das coisas que considerei interessante foi essa relação entre o sopro e a energia sagrada. Eu estava utilizando o sopro violeta em harmonizações de Reiki e o sopro dourado de meu Sahu para invocar suas energias poderosas em minha prática espiritual. Como alguém que gosta de experimentar, perguntei-me como seria harmonizar meu Sahu com o Reiki e observar quais mudanças poderiam ocorrer em mim como um ser espiritual. Nunca imaginei que o resultado seria a capacidade de liberar harmonizações.

O método Sahu e a técnica Hekau

Eu me harmonizei com o Reiki no nível Sahu ao estender minha mão e consagrá-la a representar meu Sahu, depois realizar uma harmonização exatamente como eu faria em uma pedra ou outro objeto. Imediatamente harmonizei meu Sahu a todos os três graus do Reiki. Como imaginei, meu Sahu era mais do que capaz de lidar com a mudança. Senti-me um pouco tonto, mas nada mais do que uma harmonização de Reiki comum.

Pela experimentação com a técnica Hekau, descobri que poderia solicitar meu Sahu, que agora estava harmonizado, para enviar Reiki ou harmonizar coisas por si só. No início, tentei isso com pedras, segurando uma em minha mão e usando o Hekau para solicitar a meu Sahu que a harmonizasse com o Reiki. Eu não poderia simplesmente pedir, mas teria de fazê-lo utilizando a técnica Hekau que havia aprendido a comunicar com meu Sahu, visualizando a luz dourada descendo de meu Sahu até minha boca e indo para a terra. A frase que funcionou melhor para mim e que sugiro utilizar para trabalhar com seu Sahu é:

Pelo poder da luz dourada interior
Pelo poder do sopro sagrado
Eu manifesto esta verdade
Agora desejo que meu Sahu harmonize (nome)
ao (nível do Reiki) do Reiki
Agora
Assim seja

Imediatamente depois de dizer isso, eu sopraria três vezes, visualizando as palavras douradas que acabei de falar indo para o Universo e manifestando-se em todos os níveis. Não parece funcionar, a menos que eu faça isso. Os três sopros ativam a afirmação e dão poder a ela. Expressar a afirmação sem soprar três vezes é como utilizar o Sei He Ki sem habilitá-lo com o Cho Ku Rei. Em outras palavras, nada acontece, a menos que você faça isso.

Tente utilizar essa técnica agora e veja como funciona. Encontre uma pedra ou outro objeto que esteja alinhado com o ser harmonizado e utilize o método Sahu de harmonização de Reiki. Uma vez harmonizado o objeto, tente liberar a harmonização dizendo simplesmente:

*Pelo poder da luz dourada interior
Pelo poder do sopro sagrado
Eu manifesto esta verdade
Agora desejo que meu Sahu libere a harmonização de
(nível do Reiki) do Reiki
que acabou de ser enviada a (nome)
Agora
Assim seja*

Conclua essa técnica soprando três vezes para ativar o que foi dito. Se você deseja imaginar isso como um *e-mail* metafísico para seu Sahu, pense nos três sopros como apertar o botão de enviar. Até que você o faça, não é ativado.

Se você desejar, tente isso diversas vezes, harmonizando um objeto e liberando a harmonização. Segure o objeto quando estiver harmonizado para que você sinta o Reiki fluindo por ele. A coisa maravilhosa é medir isso com seu próprio tato, sentindo o Reiki saindo de uma pedra e então de repente parando de sair, e depois saindo novamente por causa de suas solicitações feitas ao seu Sahu.

Utilizar seu Sahu para harmonizar coisas é tão válido quanto os meios tradicionais, contanto que não esteja harmonizando uma pessoa como curadora dessa maneira. Para tal, seria dar a você uma vantagem injusta de ter a capacidade de liberar a harmonização. Daria a você um poder que ninguém deveria ter sobre aquela pessoa. A única forma que consigo ver harmonizações do Sahu válidas em situações como essas seria em um caso no qual as pessoas não pudessem decidir se desejam ser harmonizadas para a vida ou não. Em tais casos, acredito que não há problemas em dizer-lhes que você as harmonizará por um dia, uma semana, um mês, qualquer que seja o período, e, em seguida, liberá-las em um tempo combinado. Isso lhes permitiria ter a capacidade de sentir o Reiki fluindo através de seu próprio corpo, mas não teriam a experiência plena do Reiki em um nível psicológico e espiritual até serem tradicionalmente harmonizadas e realizarem a troca energética apropriada. Essa compreensão seria transmitida às pessoas também.

O uso mais importante do Reiki Sahu

O uso mais importante do método do Reiki Sahu para harmonizações e liberações de harmonizações é para a cura direta de órgãos que precisam de Reiki intensivo. Na próxima vez em que você tiver bronquite, harmonize seus pulmões com o Reiki e observe como seu ritmo de recuperação acelera. Eu até tentei harmonizar um vírus ou bactéria causadores de males em meu corpo e descobri que, ao fazê-lo, a doença rapidamente é eliminada. Os agentes de enfermidade estão sendo transformados essencialmente em milhões de pequenos curadores em seu corpo. Pode-se questionar que isso seria possivelmente contra o livre-arbítrio do vírus ou da bactéria, mas, tanto quanto eu gosto de honrar o livre-arbítrio, meu corpo é meu templo e tenho a palavra final em relação ao que ocorre dentro dele. Percebi que, quando harmonizo um vírus ou bactéria, geralmente obtenho consciência dos problemas psicológicos que podem estar na raiz da doença. Portanto, não estou evitando nada ao lidar com a enfermidade dessa forma; estou apenas acelerando o processo de cura e utilizando métodos inventivos para levar o Reiki diretamente à fonte de um problema de saúde.

Investigue sua própria cura com o Reiki Sahu. Se você tiver sorte suficiente para não ter absolutamente nenhum problema de saúde para se preocupar no presente, tente enviar uma harmonização para o passado. Isso é interessante, pois, apesar de a harmonização ser enviada para o passado, você começará a senti-la no presente como uma mudança vaga em sua memória, como se você se recordasse de vivenciar algo que está enviando atualmente para si mesmo no passado. Isso é o que quero dizer com o Reki modificar sua consciência. Como o tempo trabalha e aparece perde a estrutura linear na qual geralmente o pensamos. Não consigo descrever qual sensação o tempo proporciona a mim agora, mas certamente não é linear da maneira que uma vez o compreendi.

Alguns bons exemplos de problemas para enviar harmonizações no passado são traumas significativos, pernas fraturadas, queimaduras, cortes profundos ou doenças severas. Essas coisas geralmente parecem ser eliminadas, mas, uma vez que você harmonizar essa parte de seu corpo no passado, sentirá a mudança de energia negativa deixá-lo mais rapidamente no passado, o que parece abri-lo no passado a absorver mais do amor e da luz do Divino. Seu ser muda com esses usos do Reiki Sahu, embora os problemas por si sós pareçam ter cessado. Ao afetar o passado com a cura, o tempo presente parece se abrir mais do que antes. Mais uma vez, as palavras não fazem justiça a isso. Trata-se de algo que você deve experimentar e sentir para realmente compreender.

Tempo e Reiki

Questões sobre tempo e Reiki são mais bem expressas por meio de minha própria experiência. Quando harmonizo parte de mim voltando ao passado em 20 anos, também sentirei o Reiki fluir através dessa parte de mim no presente, a menos que eu especifique um período de liberação durante a harmonização inicial (como fazer isso será mostrado posteriormente). Se eu a liberar cinco minutos depois, isso significa que o Reiki fluiu através de mim por 20 anos e cinco minutos? Não acredito que seja esse o caso, ao menos não de acordo com o que meu corpo me diz, que é: ao harmonizar a mim mesmo no passado, a energia de toda a linha temporal dessa experiência é alterada no presente. Portanto, se eu liberar a harmonização após cinco minutos, a linha temporal de 20 anos fluiu Reiki durante cinco minutos. Para se ajustar a isso, especifico uma data ou hora para liberação da harmonização quando a envio. Então, por exemplo, harmonizarei meus pulmões voltando no tempo, solicitando que a harmonização seja enviada para o passado, em uma hora de uma data específica. Em alguns casos, posso pedir que a harmonização dure um ano, de volta ao passado. Agora, essa linha temporal está programada para emitir o Reiki através de mim durante esses pontos no tempo na eternidade. Isso ocorre porque não estou liberando a harmonização como um todo; estou simplesmente afirmando, harmonizando essa parte de meu corpo com o Reiki nesses pontos do tempo. Sentirei alterações em meu corpo no presente, mas, uma vez que a harmonização está programada para ser liberada antes do tempo presente, conforme a vivencio, não sinto o Reiki fluindo através de mim no presente naquela parte do meu corpo que foi harmonizada. Mais uma vez, analogia e adivinhação apenas estão envolvidas nisso. Espero que, um dia, a ciência realmente investigue esses conceitos e veja como o Reiki flui através do tempo, quais são seus efeitos e muitas outras questões importantes.

    Pratique isso em você mesmo. Um exercício geral que pode funcionar para todas as pessoas seria harmonizar a coluna com o Reiki durante o primeiro ano de sua vida. Isso serve apenas para experimentar a energia e verificar como funciona essa técnica. Não importa se você estava doente ou não. E, como fã da quiropraxia, acredito que sempre carregamos algum grau de tensão emocional em nossas colunas que pode ser liberado para nosso bem-estar. Para fazê-lo, apenas entoe o seguinte cântico:

Pelo poder da luz dourada interior
Pelo poder do sopro sagrado
Eu manifesto esta verdade

Agora desejo que meu Sahu harmonize minha coluna com o
Primeiro Grau do Reiki
No dia em que eu nasci
E libere essa harmonização de volta no tempo
No meu primeiro aniversário
Agora
Assim seja

    Sopre três vezes para ativar a harmonização. Você provavelmente experimentará um alívio emocional ao fazer isso. Eu sinto a energia limpando minha coluna agora que realizei esse experimento enquanto o escrevia. É como se um túnel de luz tivesse se movimentado através de minha coluna para me abrir, mas que isso está sendo sentido no presente de uma ação no passado. Minha perspectiva é que essa cura continue no restante de sua vida.
    Funciona dessa maneira: sua coluna, nesse momento, foi harmonizada para o primeiro ano de sua vida, o que você foi capaz de absorver por apenas alguns minutos. A partir de agora, durante um ano, sua coluna será harmonizada para o primeiro ano de sua vida, uma cura que você foi capaz de absorver durante esse período. Em dez anos, você será capaz de absorver a cura por dez anos. A cura por si só é constante naquela linha do tempo, a menos que você diga a seu Sahu para liberar a harmonização como um todo. Embora não haja motivos para fazer isso, você pode fazê-lo simplesmente utilizando a técnica Hekau para liberar a harmonização que você acabou de enviar.
    Ao utilizar esses métodos do Reiki Sahu, você, de fato, virá a sentir e vivenciar o tempo de uma maneira não linear. Você começará a pensar no tempo como pontos geométricos fractais, como padrões que podem ser combinados entre si e em torno uns dos outros. A linha temporal reta é uma ilusão, e o Reiki nesse nível é uma forma de cura prática que nos ajuda a ver e sentir isso. O que significa? Significa que o Reiki nesse nível nos ajuda a irmos mais longe em nossa própria evolução, a sermos capazes de começar a ter experiências que possuam quinta dimensão, em que o tempo é como um elástico, algo que pode ser torcido, virado e alterado. Isso leva a conceituar coisas, pensar sobre a vida de formas completamente diferentes. Talvez, quando nossa linguagem começar a se desenvolver conosco nessa nova consciência, eu serei capaz de fornecer uma explicação mais completa sobre isso.

Utilize essa nova consciência para promover a cura de sua própria alma e corpo em níveis nunca antes sonhados. Para mim, dar exemplos a essa altura apenas limita seu poder de imaginar por conta própria.

Essa é sua lição de casa agora, utilizar essa técnica para trabalhar em si mesmo. Saiba também que não é apenas seu corpo que pode ser harmonizado para a cura. Se você harmonizar sua cama de volta no tempo em um ano, significa que você terá dormido em uma cama de Reiki durante um ano, absorvendo toda aquela energia maravilhosa. Eu frequentemente harmonizei alimentos, roupas, cômodos e outros itens com os quais tive contato durante certos períodos da minha vida. As mudanças que você sente com esse tipo de Reiki são profundas. Tudo o que se precisa é pedir para seu Sahu realizar a harmonização e soprar três vezes. Deixe sua imaginação à solta, sempre se lembrando de honrar o livre-arbítrio dos outros; não os inclua em sua cura nem realize cura neles, a menos que seja dada permissão. Em outras palavras, não harmonize sua banheira com o Reiki de volta no tempo, na época em que você era criança, pois isso afetaria toda a sua família. Porém, você pode harmonizar com o Reiki toda a água na qual você se banhou durante a infância. Sempre pergunte: como o Reiki estará em contato comigo? Pergunte também: alguém mais irá absorver o Reiki por causa disso? Se alguém mais estiver envolvido, você precisará de permissão para realizar a harmonização de boa-fé.

Capítulo 20

O Reiki em Todas as Coisas

A compreensão tradicional do Reiki é a de que se trata de uma Força Vital Universal que fluirá das mãos das pessoas. Essa compreensão não está errada, embora seja um tanto limitada. Ela nos deixa com a sensação de que o Reiki é simplesmente outro nome para chi ou prana, ou então qualquer outro nome dado às energias vitais que irradiam de todos os seres e que fluem através de nós de maneira constante. Realmente compreendemos qual força vital é? Se examinado sob uma visão científica, o que acontece com o Reiki no nível molecular? Ele simplesmente está trazendo mais energia vital, do modo que uma antiga e densa floresta preenche cada ser dentro dela com energia de força vital? Acredito que esteja fazendo mais do que isso e operando de maneiras as quais a maioria de nós não é capaz de compreender com facilidade.

Experimentação *versus* tradição

Minhas visões sobre o Reiki baseiam-se em experimentos, não no que está sendo passado adiante pela tradição oral do Reiki. Há muito nessa tradição em que não confio, pois algumas informações sobre a história do Reiki parecem ter sido inventadas. Em geral, o foco de grande parte da história parece ter mais relação com glorificar personagens do que com investigar o que o Reiki verdadeiramente é. Acredito que seja importante honrar dr. Usui e aqueles que vieram depois dele, mas deixe-nos prosseguir na descoberta das muitas coisas que o Reiki é capaz. Agora mesmo, a visão comum do Reiki é relativamente inflexível. Algumas pessoas do mundo do Reiki se entristecem quando falo sobre enviar Reiki a não humanos, como se a beleza da energia universal fosse reservada apenas para a humanidade. E pouquíssimos Mestres de Reiki que conheci admitiam experimentações ou usos criativos do

Reiki. Sua visão é, em geral, limitada a símbolos, posições de mão, história (talvez mais conhecida, nesse caso, como mitologia) e a promoção de uma prática particular de Reiki. Temos em nossas mãos um dos dons mais belos de toda a criação, e tudo o que temos de fazer é pensar em como ganhar dinheiro com isso e realizar algumas curas.

Os experimentos que realizei comprovam que o Reiki é muito mais complexo do que a maioria dos Mestres de Reiki estão dispostos a admitir. Tais experimentações começaram antes de me familiarizar com o Reiki Sahu. Embora o Reiki Sahu e os cânticos de harmonização certamente sejam novos aos olhos da maioria dos Mestres de Reiki, não são a ponta do iceberg tanto quanto aonde a exploração do Reiki pode ir. O que descobri em meus experimentos é que todas as coisas possuem certa marca do Reiki, uma vibração que pode ser articulada dentro do seu sistema. Isso não significa que todas as coisas são capazes de fluir o Reiki sem ser harmonizadas, mas significa que há a capacidade de fluí-lo de qualquer objeto específico, ser, pensamento, ação, tudo o que existe ou existiu. Essa é uma afirmação um tanto ousada, mas é verdadeira.

O Divino e o Reiki em todas as coisas

Pense na mente do Divino, que todas as criações trazem em si algo do Divino, que nós somos todos, de alguma forma, os pensamentos do Divino. Essa energia Divina nunca nos deixa e sempre é parte de quem somos. Se ela realmente nos deixar, não existiríamos. O Divino é eterno, indo além da morte e das limitações de tempo e espaço. Portanto, até na morte de um ser, objeto, ação ou pensamento, a faísca Divina vive. A faísca Divina que há na folha de papel em que essas palavras são escritas existirão para sempre, mesmo após a folha de papel ter se acabado milhões de anos depois. As pessoas podem se harmonizar com essas faíscas Divinas, que tiveram sua própria vibração única. Em outras palavras, há Reiki em todas as coisas, e o processo de harmonização é o que nos permite a abertura para essa energia. Visto que o Divino é eterno e infinito, harmonizar-se com o Reiki de outro ser não nos afasta da faísca Divina que existe naquele ser. Nada pode se afastar dela, pois esta não chega ao fim.

Reiki *Redwood*

Essas não são meras teorias metafísicas. Iniciei esse experimento em 1996 em um bosque de sequoias, em São Francisco. Ocorreu-me de tentar incorporar a energia de uma sequoia a uma harmonização de Reiki. Fiquei em pé, próximo a uma árvore, e consagrei minha mão para representar a mim mesmo; e, ao realizar o processo de harmonização sobre minha mão, harmonizei a mim mesmo com o Reiki *Redwood*.

Isso foi feito simplesmente tomando-se da aura da árvore durante aquelas vezes no processo de harmonização em que eu normalmente acrescento um símbolo alternativo.. Eu tomei energia da aura da árvore e a guiei com minha mão, exatamente como um dos símbolos. O que aconteceu comigo foi profundo e incrível. Comecei a sentir como se fosse parte da sequoia. A energia que fluía pelas minhas mãos quando pedi para fluir o Reiki *Redwood* era forte e bela, e cheia de força terna que havia sentido antes apenas quando estive com essas árvores. A harmonização durou e ainda consigo fluir o Reiki *Redwood* à vontade. Pelo fato de não haver símbolo para isso, simplesmente visualizo uma sequoia como o símbolo e entoo "Reiki *Redwood*" em combinação com o uso de Cho Ku Rei.

O processo de harmonização

Isso provavelmente soa bastante estranho e inacreditável. Mais uma vez, deixe sua própria experiência guiá-lo. Sintonize-se com alguma planta, árvore ou outro objeto que pareça alinhado com o que você está buscando e pergunte se aquele ser está disposto a trabalhar com você nesse nível.

Agora fique em pé, próximo àquele ser. Sopre em uma de suas mãos e peça que aquela mão o represente durante o processo de harmonização. Você pode visualizar as pontas de seus dedos como sendo sua cabeça; a palma da mão, seu abdome, e assim por diante. Agora realize o processo de harmonização para o Primeiro e o Segundo Graus de Reiki, a cada vez retirando a energia da aura daquele ser que você está solicitando fazer parte dessa harmonização. Guie cada captação como você o faria no caso de um símbolo alternativo no processo de harmonização. Quando concluir as harmonizações do Primeiro e do Segundo Graus nesse processo, mantenha as mãos contra o coração e o abdome, fluindo o Reiki daquele ser que acabou de harmonizar, visualizando-o como um símbolo, entoando seu nome e prosseguindo com Cho Ku Rei. Observe a vibração em suas mãos e como é diferente do Reiki na percepção do Reiki como é tipicamente ensinado. Você perceberá um cunho energético distinto do Reiki daquilo que tenha acabado de se harmonizar a você, uma marca energética que sugere a presença daquilo que se harmonizou, estando vivo e vibrando em suas próprias mãos. Por exemplo, quando fluo o Reiki do quartzo rosa, ele quase parece um pedaço de quartzo rosa em minhas mãos. Essas experiências podem soar muito inverossímeis, mas apenas ao realizar os exercícios mencionados neste capítulo você será capaz de compreendê-las suficientemente.

Uma forma muito mais simples de realizar isso é apenas pedindo a seu Sahu harmonizá-lo ao Reiki de qualquer coisa com que você deseje se sintonizar. Isso funciona bem, mas gostaria que compreendesse o método como veio até mim originalmente.

Sintetizar o Reiki Sahu com essa técnica de auto-harmonização com o Reiki de um ser ou objeto específico é onde o Reiki realmente se abre como uma força curativa multidimensional. Eu adoro utilizar o Reiki *Redwood* por causa da sensação e tenho certeza de que obtenho cura ao utilizá-lo. E quanto à capacidade de utilizar essa forma de Reiki para acessar as energias de ervas, cristais, pedras e outras energias medicinais que podem ser manifestadas como Reiki?

Alguns experimentos

Aqui está um bom experimento para se tentar. Pegue uma pedra comum de rio ou uma rocha simples; peça que seu Sahu harmonize-a com as energias do quartzo rosa, que pode ser utilizado para curar o chacra do coração. Uma vez harmonizado à pedra, posicione-a sobre o coração e sinta o Reiki fluir para dentro de você. Observe a diferença entre esse Reiki e o tradicional.

Experimente tomar um banho e harmonizar a água ao Reiki de rosas vermelhas.

Experimente harmonizar um copo com água ao Reiki de sua refeição preferida e, em seguida, beba-a. Você não sentirá o sabor da refeição, de fato, e sim uma vibração na água que ressoa de forma tão intensa que pode pensar estar saboreando a refeição.

Você é limitado nesse uso do Reiki somente pelo poder de sua imaginação, honrando o livre-arbítrio e utilizando o bom senso. Faça experiências com o mundo ao seu redor, percebendo que você acessou a faísca Divina que há em todas as coisas, que o Divino está realmente em todos os lugares e é acessível. O conceito de um Deus invisível e silencioso que não falará conosco é ilusório. O Divino está disposto a se mostrar nessas faíscas Divinas ao mesmo tempo em que o Reiki flui através de suas mãos.

Mais uma vez, defendo intensamente a experimentação, porém tome cuidado com o que você se harmoniza. Essa é uma técnica poderosa que pode ser utilizada para todos os tipos de trabalhos de cura. Certa vez, quando estive no México, eu estava nadando no mar e fiquei preso atrás de algumas pedras por causa de uma onda forte. A única maneira que conseguiria sair era deixando o mar me lançar sobre as rochas. Saí do mar sangrando, machucado e com uma lesão nas costas. Eu estava acostumado a conseguir me ajustar por meio de movimentos que meu corpo aprendeu quando estava sob cuidados da Rede Quiroprática, um tipo alternativo de cuidado quiroprático que facilita o aprendizado do corpo a se ajustar sozinho. Tentei virar meu tronco e me ajustar de modo que acabaria com a dor que viria a sentir, mas os músculos estavam muito rígidos e muito doloridos para se moverem como eu desejava. A dor era aguda e durou horas, até que pensei em pedir a meu Sahu que harmonizasse meus músculos das costas com o Reiki do medicamento que meu dentista anestesiava minha boca quando fazia obturações. Meu Sahu fez isso, minhas costas de repente pararam de doer, e fui capaz de movimentar meu corpo de modo que se ajustasse sozinho, liberando o desequilíbrio espinhal que estava provocando a dor em mim. Após me ajustar, liberei a harmonização e senti meus músculos como se estivessem normais.

A potencialidade médica do Reiki

A Associação Médica Americana talvez não aprovasse meu uso do Reiki para curar minhas costas, e existe, reconhecidamente, a chance que ele seja utilizado de maneiras que não se relacionam necessariamente à cura. Mas imagine as vantagens obtidas, caso pesquisas fossem realizadas a respeito de como isso realmente funciona em um nível molecular. E se drogas para *aids*, câncer e outras doenças pudessem funcionar de modo eficaz apenas no nível energético? Significaria uma verdadeira revolução na saúde em todo o mundo. O Reiki poderia ter a resposta para remédios estarem disponíveis em partes do mundo em que as pessoas atualmente não dispõem de assistência médica moderna. Eu certamente não defendo que alguém faça experiências com esse uso de Reiki sem ter ciência das consequências ou treinamento profissional adequado. Utilizei o remédio odontológico em minhas costas na forma de Reiki, pois estava sentindo fortes dores. Não compreendo o mundo farmacêutico o suficiente para chamar a mim mesmo de especialista, tampouco brincaria com essas energias aleatoriamente. Eu, de fato, incentivo pesquisas nesse campo por meio de profissionais treinados que pudessem mensurar os resultados e ajudar a humanidade a compreender quais drogas devem funcionar de maneira eficaz na forma de Reiki.

Também me pergunto – ao observar a questão do vício em drogas – se não seria possível tratar dependências com uso variado de drogas de Reiki. Seria possível reduzir e eliminar o vício físico, enquanto mantém o vício psicológico estabilizado por meio do Reiki até que os problemas psicológicos fossem contornados? Eu não tenho essas respostas, tampouco a compreensão baseada em pesquisa para discutir essa possibilidade específica em relação a drogas. Algumas delas talvez não trabalhem em um nível energético, mas a droga odontológica à qual tive acesso por meio de meu Sahu pareceu-se completamente com a coisa verdadeira. Isso merece ser pesquisado, e é um dos motivos mais importantes pelos quais escrevi este livro e por tornar público o conhecimento sagrado.

Outras questões a serem observadas, as quais não me sinto pessoalmente qualificado para investigar, são as reações de vírus e bactérias quando verdadeiramente harmonizados com o Reiki de drogas utilizadas para combatê-los. Existe a possibilidade de acelerar a cura a um preço baixo, até mesmo gratuitamente?

Outras potencialidades do Reiki

Quais outras coisas são possíveis com o Reiki? Eu sei que as flores que estão em um vaso de água e harmonizadas com o Reiki durarão por um período extremamente longo, mas qual impacto essa forma de Reiki poderia ter sobre a agricultura? É possível regenerar a força vital da terra simplesmente harmonizando o cultivo com o Reiki ou pela irrigação de campos com água que esteja harmonizada com o Reiki? O solo harmonizado com o Reiki de nitrogênio age como fertilizante? Essas parecem ser questões distantes da fantasia, mas acredito que um dia o Reiki fará parte de todas as ciências, pois é parte de nossa consciência quintodimensional. Faz parte de nossa evolução humana para um caminho espiritual mais grandioso, no qual a energia do Divino é reconhecida e sentida abertamente em todos os aspectos da vida.

Certa vez fui criticado por uma namorada que disse que eu estava fazendo mau uso da energia sagrada ao harmonizar com o Reiki a água destinada a lavar roupas em vez de utilizar sabão. No entanto, acredito que eu não estava apenas ajudando o planeta ao não utilizar agentes prejudiciais na água, mas que também estava elevando a tarefa de lavar roupas a algo como uma atividade sagrada, assim como todos os aspectos de nossas vidas devem ser. Os usos do Reiki dessa maneira são infinitos, e abrem a mente humana e o mundo a uma Nova Era, muito maior do que aquela que imaginamos repletas de linhas diretas com videntes e jogos de tarô. Um planeta repleto de luz Divina é o potencial verdadeiro, e o Reiki é um meio de promover essa realidade.

Um aspecto desse tipo de Reiki, para o qual não dei um nome nem encontrei um, tem a ver com quão diferentes as energias do Reiki interagem umas com as outras. Uma maneira de fazer isso é repetir o exercício de colocar em suas costas duas pedras sintonizadas com o Reiki. Porém, nesse caso, você harmonizará uma pedra com o Reiki Yin e a outra com o Reiki Yang. Lembre-se de que tudo possui uma faísca Divina do Reiki que é única. Apenas os conceitos de yin e yang são suficientes para um elemento do Reiki existir que possa ser tocado e carregue a vibração desses conceitos. Yin é receptivo e feminino; yang é assertivo e masculino. Cada um flui rumo ao outro para manter o equilíbrio. Sinta isso quando as duas pedras fluírem Reiki através de sua coluna. Eu geralmente posiciono a pedra de Reiki Yang no topo da minha coluna e a pedra de Reiki Yin na base dela, pois o yang é tradicionalmente celeste e o yin, terrestre. A vibração que isso traz para dentro de sua coluna é maravilhosa, um tipo de harmonia e sensação de bem-estar que duas pedras harmonizadas ao Reiki tradicional, na maioria dos casos, mal projetam.

Agora tente segurar essas mesmas duas pedras em cada mão. Coloque a pedra do Reiki Yin em sua mão direita para equilibrar sua metade masculina do corpo, e a pedra do Reiki Yang na mão esquerda para balancear o lado feminino. (O lado esquerdo do cérebro, que controla o lado direito do corpo, possui funções principalmente racionais, as quais são associadas tipicamente com as energias yang masculinas, enquanto o lado direito do cérebro, que controla o lado esquerdo do corpo, apresenta funções mais emocionais/artísticas, que são tipicamente associadas com as energias yin femininas.) Em cada caso, o Reiki flui em direção ao seu oposto. Em outras palavras, essas energias operam na forma de Reiki da mesma forma de quando são conceituadas. Existe uma dinâmica entre elas, uma interação que cria uma variável totalmente nova no aspecto curativo do Reiki.

Dadas as forças dinâmicas do Reiki, conforme demonstra esse exercício simples, como elas podem ser ligadas e utilizadas no mundo da física e da engenharia? É possível, utilizando forças dinâmicas do Reiki, criar baterias energéticas que não passam de pedras programadas a emitir essa energia Divina de uma maneira específica? Em caso afirmativo, elas seriam uma fonte inesgotável de energia. Isso talvez soe como ficção científica, mas posteriormente neste livro você verá maneiras de estabelecer conexões do Reiki através do tempo e do espaço, ligando-as a baterias de Reiki, que mantêm aquelas conexões fluindo energia do Reiki por meio delas como um pequeno feixe de *laser* de Reiki. Em certo nível, então, o conceito de uma bateria de Reiki realmente funciona. A questão é: ela pode ser transformada em algo capaz de ativar um motor ou acender uma lâmpada? Quando essa habilidade for descoberta, nosso mundo inteiro será radicalmente modificado por ela.

Capítulo 21

Conexões de Reiki

Até o momento, espera-se que você tenha praticado o uso do Reiki Sahu vezes o suficiente para se tornar experiente em seu uso. Sua consciência de tempo/espaço e das energias que fluem através e ao redor de nós provavelmente modificaram sutilmente em relação ao que sua consciência era antes de você entrar em contato com este livro. A maioria das pessoas imagina que o Reiki flui somente pelas mãos humanas e apenas quando harmonizadas pessoalmente e de modo direito por um Mestre de Reiki. Aqui você já teve a opção de harmonizar-se por meio de cânticos, expor-se a símbolos alternativos, aprender como enviar e liberar harmonizações de Reiki pelo seu Sahu e aproveitar o potencial para fluir o Reiki de uma árvore, pedra ou ideia. Todas essas coisas apresentam possibilidades curativas poderosas. Para mim, no entanto, o componente supremo do uso do Reiki é ser capaz de revelar uma conexão de Reiki ativada por meio de dois pontos quaisquer na matriz tempo/espaço.

Enviando Reiki *versus* ativando uma conexão de Reiki

Afirma-se que enviar o Reiki é ativar uma conexão entre dois pontos na matriz tempo/espaço, mas isso não é verdade. Quando se envia o Reiki, o símbolo do Hon Sha Ze Sho Nen atua como um portal ou veículo para transportar o Reiki até o espaço desejado. O Reiki, de fato, não flui em uma linha reta, do ponto A ao ponto B. Em outras palavras, se você estiver enviando o Reiki para um amigo do outro lado da sala por meio de métodos tradicionais, não há caminho de Reiki entre vocês. O Reiki deixa suas mãos e, de repente, surge no destino. Isso, na verdade, não ultrapassa o tempo/espaço, mas simplesmente começa a manifestar-se no local desejado. Se pessoas caminhassem entre você e um amigo para o qual você está enviando o Reiki, elas não estariam na trajetória do fluxo do Reiki. Embora possam sentir uma mudança na energia geral da sala, uma vez que o Reiki está sendo enviado e recebido no mesmo local, as pessoas não sentiriam o Reiki fluir diretamente através delas para chegar até seu amigo. Quando se ativa uma conexão de Reiki, no entanto, o Reiki flui como um feixe de *laser* entre dois pontos, e tudo que vem entre estes entra em contato direto com o Reiki. Será explicado de maneira breve como fazer isso.

Os benefícios curativos das conexões de Reiki

Existem diversos benefícios curativos da utilização das conexões do Reiki. Primeiro: é possível ativar conexões de Reiki através de regiões do corpo afetadas por doenças, levando maior potencial curativo, pois milhões de conexões podem ser ativadas por meio de uma variedade de pontos ao redor das áreas doentes. Por exemplo, eu sempre fui incomodado com dores de ouvido. Em virtude de algumas lesões sofridas quando criança, a água tende a não ser drenada de meus ouvidos se eu tomar banho ou nadar. Pelo fato de adorar nadar e tomar banho, tive predisposição a problemas no ouvido durante boa parte de minha vida. A água fica e eu tenho infecções de ouvido. Porém, quando descobri como utilizar conexões de Reiki, percebi que todas as células dos meus ouvidos, ouvidos internos e ossos adjacentes às orelhas são todas regiões potenciais pelas quais ativo conexões de Reiki. Agora, se eu sentir uma dor de ouvido chegando, peço para meu Sahu que harmonize todas as células de meu canal auditivo e envie uma conexão de Reiki para todas as células dele. A conexão perdura até não ser mais necessária. Essa cura pode ser ampliada ao se ativar conexões do Reiki a partir da mandíbula, através do ouvido até as partes do crânio, de modo que uma conexão de Reiki seja ativada pelo ouvido, próximo ao tímpano e ao ouvido interno, onde infecções podem ser muito desagradáveis. Pelo fato de uma conexão ser como um *minilaser*, o Reiki flui de modo mais intenso do que o normal. Como você pode ativar quantas conexões desejar entre os pontos ao redor de seu ouvido – algumas pequenas, outras grandes, algumas em diversos ângulos –, é possível criar uma rede inteira de Reiki amplificado que flui Reiki de modo contínuo até que as conexões sejam liberadas. Por isso, em vez de tomar remédios antes de dormir, é possível manifestar as conexões de Reiki em torno do ouvido antes de adormecer. Quando acordar, na manhã seguinte, você descobrirá que oito horas de Reiki fluindo através de você puseram fim à infecção.

Tais usos das conexões de Reiki, acredito, seriam benéficas – em especial no tratamento de câncer ou outras formas de doenças em que a enfermidade jaz em uma região física específica do corpo. Uma vez identificada essa área, as conexões do Reiki podem ser reveladas imediatamente para tratar a doença.

Como revelar uma conexão de Reiki

Para treinar como revelar uma conexão de Reiki, comece trabalhando com pedras. Sugiro pedras, pois elas são, em geral, grandes o suficiente para você definitivamente sentir o Reiki fluindo de um ponto a outro. Além disso, você pode movê-las, colocá-las em seu corpo, em suas mãos ou em qualquer lugar. Isso lhe permite sentir que a conexão está ativa entre as pedras, e você notará que, à medida que as pedras se moverem, o mesmo ocorre com a conexão de Reiki.

Manifestando uma conexão em pedras

Utilizando duas pedras, segure-as e diga:

Pelo poder da luz dourada interior
Pelo poder do sopro sagrado
Eu manifesto esta verdade
Agora desejo que meu Sahu harmonize estas pedras
Para que sejam como baterias do Primeiro e
do Segundo Graus do Reiki
Revelando uma conexão entre elas
Do Primeiro e Segundo Graus do Reiki
Agora
Assim seja

Lembre-se de soprar três vezes para ativar a afirmação. Após fazer isso, a conexão de Reiki será revelada entre as duas pedras. Você pode colocar a mão entre as duas pedras e sentir o Reiki fluindo. Coloque uma pedra em um lado do cômodo e a outra, do outro lado; posicione a mão entre elas. Você deve ainda sentir a conexão. Coloque um livro entre elas. Movimente sua mão para um lado ou outro do livro e observe que a conexão de energia passa diretamente pelo livro.

Certa vez estava em um avião, indo de São Francisco a Nova York. E, com a finalidade de experimentação, ativei uma conexão de Reiki da minha geladeira, em casa, até a lata de refrigerante que estava à minha frente, na mesa retrátil. Isso foi do outro lado dos Estados Unidos, e eu pude sentir a conexão de Reiki me atravessar, voltando para a geladeira em minha casa.

Quanto à terminologia, você pode perguntar por que deve utilizar o termo "bateria de Reiki" quando harmoniza as pedras para ativar uma conexão de Reiki entre elas. Quando desenvolvi esse exercício, a conexão enfraquecia muito rapidamente. Eu pensava que, pelo fato de conceitos e palavras terem uma faísca do Divino que pode ser transformada em um fluxo de Reiki, a ideia ou conceito de uma bateria de Reiki poderia bastar para manter a conexão. Experimentei e obtive êxito.

Manifestando uma conexão em seu corpo

Após ter usado pedras para manifestar uma conexão de Reiki, tente ativar uma conexão de Reiki através de seu próprio corpo. Se você não tiver nenhuma doença que necessite ser tratada, sugiro trabalhar na coluna. Mais uma vez, liberar a tensão da coluna aumenta a vitalidade e o ajuda a permanecer em equilíbrio emocional. Para ativar uma conexão através de sua coluna, apenas diga:

Pelo poder da luz dourada interior
Pelo poder do sopro sagrado
Eu manifesto esta verdade
Agora desejo que meu Sahu harmonize minha vértebra C-1
e meu cóccix
Para que sejam como baterias do Primeiro e do
Segundo Graus do Reiki
Ativando uma conexão
Do Primeiro e Segundo Graus do Reiki entre si
Agora
Assim seja

Lembre-se de soprar três vezes. Sinta a conexão de energia percorrendo sua espinha. Você pode desejar esticar-se em uma cama e, de fato, absorver esse tratamento intenso. Quando estiver preparado, libere a harmonização simplesmente entoando este cântico:

Pelo poder da luz dourada interior
Pelo poder do sopro sagrado
Eu manifesto esta verdade
Agora desejo que Sahu libere
A harmonização de minha vértebra C-1 e meu cóccix
Como baterias do Primeiro e do Segundo Graus do Reiki
E libere quaisquer conexões do Reiki entre elas
Agora
Assim seja

Sopre três vezes e sinta a energia de sua coluna voltar ao normal.

Uma forma na qual utilizo esse método é ativando conexões do Reiki pela minha caixa torácica quando sofro de congestão. As conexões atravessam os pulmões, e a intensidade do Reiki os limpa – às vezes, em menos de uma hora.

Tratando outras pessoas com conexões de Reiki

Quando utilizar conexões de Reiki em tratamentos de outras pessoas, recebo primeiramente a permissão delas. Nem sempre é possível explicar plenamente o que você está fazendo, mas certifique-se de que a pessoa compreenda que aquela energia percorrerá o corpo entre determinados pontos e que será mais intenso do que a maioria dos tratamentos de Reiki. Informe a pessoa de que, a qualquer momento, o tratamento pode parar, caso se torne desagradável ou desconfortável.

Harmonizando mãos e objetos como baterias de Reiki

Você também pode harmonizar as mãos como baterias de Reiki, fazendo com que fluam Reiki semelhante a *laser* entre elas. Utilizei isso algumas vezes em mim mesmo enquanto tratava pessoas com Reiki, mas somente com quem estava acostumado a trabalhos energéticos intensos. Nesses casos, posicionarei minhas mãos em extremidades opostas da cabeça, tronco, pernas da pessoa, ou onde quer que eu deseje concentrar o tratamento, permitindo o fluxo de Reiki intenso entre minhas mãos para trabalharem em qualquer parte que necessite de cura intensiva. Se eu não consigo estender as mãos de modo que fiquem em ambos os lados da pessoa, olho ao redor e harmonizo um objeto diretamente de mim, para ser outra bateria de Reiki. Por exemplo, quando envio Reiki intenso para o coração de uma pessoa, harmonizo a maca de massagem logo abaixo do coração para que seja a bateria de Reiki, ativando uma conexão de Reiki através do coração da pessoa até minha mão. É como se a energia de repente existisse por si só entre os dois pontos. E, embora minhas mãos sejam parte da equação, nunca senti como se o Reiki estivesse fluindo através de mim. Ele simplesmente existe entre quaisquer dois pontos nomeados como baterias de Reiki.

Ativando conexões através do tempo

Outro aspecto da utilização de conexões é ajustar as baterias de Reiki para estarem em diferentes pontos a tempo. Eu apenas realizei tais curas em mim mesmo e nunca as utilizei em um tratamento com mãos em outra pessoa. Porém, conexões ativas através do tempo realmente funcionam e podem ser uma experiência de expansão da consciência. Na verdade, você pode ir um pouco longe demais com isso e eu o aconselho a não fazer nada que imagine não ser capaz de lidar. Mas, quando usada de maneira sábia, pode ser um tratamento muito eficaz.

Para praticar sozinho a ativação de uma conexão de Reiki através do tempo, sugiro que primeiramente trabalhe apenas com seu próprio corpo. Faça algo simples. Ative uma conexão do Reiki *One Love* através de seu próprio coração, como a que funciona desde o dia em que você nasceu até o presente. Isso é diferente de harmonizar seu coração ao Reiki *One Love* no dia do seu nascimento e liberá-lo no presente. Uma conexão de Reiki é mais direta, mais intensa e carrega uma assinatura de consciência, como um médium lendo dentre dois pontos. Quando faço isso por conta própria, tenho uma consciência rápida e muito clara de mim no dia em que nasci. Você pode ou não experimentar isso, mas esteja preparado para a possibilidade. Para revelar a conexão, simplesmente repita isto:

Pelo poder da luz dourada interior
Pelo poder do sopro sagrado
Eu manifesto esta verdade
Eu desejo que meu Sahu harmonize meu coração no passado
No dia em que nasci
Para ser como baterias do Primeiro e do Segundo Graus do Reiki
E harmonize meu coração no presente
Para ser como baterias do Primeiro e do Segundo Graus do Reiki
Ativando uma conexão do
Primeiro e do Segundo Graus do Reiki entre si
Agora
Assim seja

Lembre-se de soprar três vezes para ativar a afirmação. Permita-se um espaço silencioso para apreciar esse tratamento, talvez realizando-o antes de dormir ou enquanto toma banho. Sinta essa energia do amor aumentando rapidamente em seu coração e através do tempo. Quando fizer isso, observe o que você sente a seu respeito. Que tipos de mudanças ocorrem em sua consciência enquanto realiza esse tratamento? Quando estiver preparado, libere a conexão afirmando o seguinte:

Pelo poder da luz dourada interior
Pelo poder do sopro sagrado
Eu manifesto esta verdade
Eu agora desejo que meu Sahu libere a harmonização
do meu coração
Como baterias do Primeiro e do Segundo Graus do Reiki
No dia em que eu nasci e no presente
E para liberar a conexão ativa de Reiki entre esses pontos
Agora
Assim seja

Sopre três vezes para ativar a afirmação. Então, observe como a energia em seu corpo volta ao normal. No entanto, você pode notar uma assinatura ou característica dessa experiência na memória celular de seu corpo.

Ela enfraquecerá relativamente rápido, mas é agradável prestar atenção e observar como uma lembrança física da experiência multidimensional que você acabou de ter.

Uso geral das conexões de Reiki

Ao utilizar conexões de Reiki em geral, apenas identifique os pontos destinados a serem baterias de Reiki, solicitando a seu Sahu que os harmonize como baterias de Reiki e ative uma conexão de Reiki entre elas. Para liberar qualquer harmonização desse tipo, peça a seu Sahu que libere a harmonização das baterias de Reiki e a conexão de Reiki. Tente isso em seu próprio caminho de cura. Eu descobri que ativar conexões através de uma doença pode ser um meio extremamente eficaz de tratamento. Essas conexões podem existir no tempo ou apenas estar ativas fisicamente através da doença, no presente. Em qualquer caso, apenas identifique o alvo desejado para as conexões de Reiki e harmonize as baterias de Reiki ao redor daquele alvo para harmonizar as conexões do Reiki no meio. É simples assim. Quando estiver preparado para liberar as harmonizações e a conexão, você pode pedir a seu Sahu para liberá-las. Utilize a sabedoria em todos os aspectos desse trabalho, pois a intensidade dele está muito além do que muitos estão acostumados, mesmo as pessoas que são extremamente íntimas do trabalho energético.

Capítulo 22

Cristais de Reiki

Alguns Mestres de Reiki investigaram a integração do trabalho dos cristais com o Reiki. São formadas grades com cristais harmonizados com o Reiki, e aquelas são utilizadas para intensificar o Reiki e auxiliar no trabalho de cura ou manifestação. Diane Stein as menciona em seu excelente livro, *Essential Reiki*, e outros Mestres de Reiki são íntimos desse conceito. Como não pretendo duplicar o que você pode descobrir nos ensinamentos da sra. Stein e tenho minhas próprias ideias distintas a respeito dos cristais de Reiki, não explorarei as grades de cristais neste registro. No entanto, eu realmente o incentivo a ver o livro de Diane Stein e se familiarizar com o que ela tem a dizer sobre grades de cristais e outros aspectos interessantes do Reiki.

Integrando o trabalho dos cristais com cristais harmonizados

O que a mim interessa é integrar o trabalho do cristal com cristais de Reiki e fazê-lo enviar Reiki a questões específicas de sua vida. Mais uma vez, como em boa parte deste livro, muitos afirmarão que isso é impossível. Porém, exatamente como uma vela pode ser programada para enviar Reiki, o cristal também pode. O motivo pelo qual incluí este capítulo depois daqueles sobre Reiki Sahu é que os métodos de palavras de poder do Sahu podem ser utilizados para comunicar-se com o cristal e, literalmente, dizê-lo para o que enviar o Reiki.

Programando cristais

Para trabalhar com esse conceito, primeiramente é necessário saber a respeito de programação de cristais. A maioria dos estudiosos de Wicca e outros caminhos espirituais mágicos provavelmente já têm alguma noção de como isso funciona. Um cristal, em primeiro lugar, deve estar livre de qualquer intenção anterior na qual possa ter sido inserido. Para limpar um cristal, você pode imergi-lo em sal durante 24 horas, mantê-lo sob água corrente fria por 30 segundos ou incensá-lo com a fumaça da queima da salva. Todas essas técnicas funcionam, e posso comprovar cada uma delas. Estando limpo o cristal, ele pode ser programado para uma intenção específica. Essas intenções são, em geral, a coisas como cura, abundância ou poder. E, em tais casos, o cristal pode estar gasto pelo uso ou por estar disposto em um altar sagrado, no qual a mágica faz parte de algum encantamento maior.

Cristais realmente emitem energia – um conceito com o qual aqueles que fazem relógios funcionarem por meio de cristais de quartzo estão bastante familiarizados. Cristais de quartzo são o tipo que eu uso com mais frequência e o que recomendo. Ao programar o cristal magicamente, a energia é ajustada a desempenhar uma função específica, como mencionei anteriormente. No Reiki, um cristal harmonizado pode ser programado a enviar Reiki em direção a uma pessoa, problema ou situação específicas.

Para programar um cristal com a intenção de enviar Reiki, primeiramente o harmonize com o Primeiro e o Segundo Graus do Reiki, solicitando ao seu Sahu, como explicado no capítulo 19. Então, limpe o cristal utilizando um dos métodos mencionados anteriormente. Após a limpeza do cristal, mantenha-o sobre seu centro de força, logo abaixo do seu umbigo. Visualize o cristal como um pequeno curador do Reiki, que é exatamente o que ele é agora. (Pelo fato de ser como um amigo, você deve sintonizar-se ao cristal e perguntar por qual nome ele gostaria de ser chamado em suas interações.) Depois, afirme ao cristal sua intenção em voz alta, dizendo o seguinte: *eu realmente programo este cristal a enviar Reiki a tudo que eu solicitar, sempre que pedir.*

Em seguida, sopre o cristal para selar sua intenção.

Enquanto a maioria dos cristais que é programada para um objetivo mágico tem de ser recarregada de tempos em tempos, descobri que os cristais do Reiki, não. Talvez isso se deva ao fato de realmente direcionarem apenas o fluxo do Reiki. Uma vez que o Reiki não vem deles, sua própria fonte de energia não é esgotada ou reduzida pelo envio do Reiki. (Os humanos podem se esgotar por fluir Reiki excessivamente, mas isso se deve mais a restrições físicas e psicológicas que qualquer redução efetiva de energia. Às vezes somos afetados pela energia de modo tão profundo que muito dela fluindo através de nós pode ser desgastante. Esse aparentemente não é o caso dos cristais.) Tenho um cristal que está enviando Reiki para mim há três anos sempre que solicito, e ele não tem de ser recarregado ou reprogramado.

Enviando Reiki com cristais programados

Agora que você tem um cristal de Reiki programado, pense nele como um amigo que pode enviar Reiki a você a qualquer momento, em qualquer lugar. Meu cristal está guardado em São Francisco, e eu sequer o vejo há quase um ano. Porém, por meio de meu Sahu, posso enviar uma conexão de energia (não Reiki) para comunicar ao cristal minha solicitação. Para isso, eu digo:

> *Pelo poder da luz dourada interior*
> *Pelo poder do sopro sagrado*
> *Eu manifesto esta verdade*
> *Agora desejo que meu Sahu envie uma conexão para*
> *(fale o nome de seu cristal)*
> *E solicito que ele envie Reiki para*
> *(nome da pessoa ou situação)*
> *Durante (período de tempo)*
> *Agora*
> *Assim seja*

Depois, sopro três vezes para ativar a afirmação. Lembre-se, em seguida, de agradecer o cristal pelo Reiki que enviou. Isso pode ser feito por meio do Sahu também.

Tente isso por conta própria.

Usos dos cristais de Reiki

Uma das minhas maneiras preferidas de utilizar cristais de Reiki é receber um tratamento de Reiki de um cristal exatamente quando vou dormir. A sensação é maravilhosa, e eu acordo revigorado porque o tratamento não chega ao fim assim que adormeço; ele continua durante o período em que o cristal foi solicitado a enviá-lo.

Você pode até harmonizar um cristal ao Terceiro Grau do Reiki e, em seguida, solicitar a ele que harmonize coisas para você. Tente você mesmo isso, harmonizando um cristal ao Terceiro Grau de Reiki e, depois, pedindo que ele harmonize com o Reiki uma pedra ou outro objeto. Certifique-se de afirmar o nível de harmonização a ser enviado, incluindo ou não algum símbolo alternativo. Tudo o que você solicitar acontecerá exatamente como você afirma; portanto, certifique-se de estar sendo claro em sua solicitação.

Os cristais também podem ser utilizados de modo simples. Você pode programar um cristal harmonizado com o Reiki para que o flua e, então, colocar o cristal no corpo durante um tratamento. Será como uma ajuda extra que emite a força curativa do Reiki.

Eu não usaria, pelo fato de tê-lo feito e isso ter me desestabilizado, um cristal harmonizado com o Reiki. O fluxo constante de energia do Reiki pode desestabilizá-lo. Contudo, se decidir fazer isso, não opere maquinário pesado nem dirija um automóvel. Receba esse conselho de alguém que adora fazer experiências com energia e levar as coisas ao extremo: não vale a pena nesse caso.

A principal vantagem de utilizar um cristal em vez de enviar o Reiki por si só é que você pode utilizar o cristal em ocasiões em que o envio do Reiki seria difícil ou impraticável. Talvez uma reunião de negócios em seu trabalho não seja o melhor local para iniciar o envio de um tratamento. Porém, se você aparecer em uma reunião de negócios em que sua atenção plena é solicitada e, de repente, descobrir que há energia negativa na sala que precisa de atenção imediata, você pode pedir gentilmente a seu Sahu que entre em contato com seu cristal de Reiki e solicitar um tratamento. Este iniciará, em geral, alguns segundos depois de os três sopros ativarem sua solicitação. Os três sopros podem ser tão suaves que nem uma alma notaria. Esse é apenas um exemplo de como pode ser útil ter um cristal de Reiki. Tenho certeza de que você é capaz e descobrirá outras vantagens à medida que utilizar seu próprio cristal.

Capítulo 23

Dinâmica do Reiki

Eu sei muito pouco sobre física ou ciências. Sou poeta e Mestre de Reiki, não engenheiro nuclear ou físico. Muito do que tenho a dizer sobre a dinâmica do Reiki se baseia em experimentos e intuição. Pode soar como ficção científica, mas é baseado na realidade. Conheço coisas que poderiam abrir portas no mundo científico e até manifestar algo de um mundo Utópico do Reiki. O que posso fazer é afirmar o que vivenciei e fornecer percepções para o que imaginei durante esses experimentos, apontando direções para as quais aqueles mais treinados do que eu podem seguir.

A interação das energias do Reiki

Quando falo de dinâmica do Reiki, estou me referindo à interação de diferentes energias do Reiki umas com as outras e como essa interação, às vezes, cria uma força de energia que é mais do que a soma de suas partes. Isso pode ser mais bem sentido quando se utiliza o Reiki Yin e o Reiki Yang fluindo através da coluna, originados de diferentes extremidades do corpo. Quando isso ocorre, o yin e o yang parecem se fundir em uma força equilibrada, que não é nem yin nem yang, mas sim criada por eles. Como isso poderia ser utilizado em qualquer domínio necessitará ser respondido pela ciência, não por mim.

Possibilidades científicas para o Reiki

Dados os meus experimentos, o interessante é que eles apontam para: a possibilidade de criar campos energéticos inesgotáveis e podem ser alterados mudando as variáveis na equação de qual tipo de Reiki está sendo empregado. Essas coisas deveriam ser estudadas no nível da física quântica. Harmonizei elétrons e prótons para ativar conexões do Reiki umas às outras, em cada átomo de cada molécula de água em muitos de meus banhos. A sensação de banhar-se nisso é bizarra e provavelmente não possui qualquer valor curativo específico, mas é divertido tomar um banho em algo que está zuindo com as teias da luz Divina no nível subatômico. Mas como essa técnica energética poderia nos ajudar a compreender como o Universo funciona?

Se o Reiki e suas conexões pudessem ser mensurados, ajudaria no rastreio da atividade de partículas subatômicas harmonizadas ao Reiki e na análise de seu comportamento. Visto que conexões do Reiki podem ser enviadas pelo tempo, isso acrescentaria um elemento interessante ao estudo da física. O que poderia acontecer no nível molecular quando o átomo de um elemento é harmonizado a um tipo de Reiki e o átomo de outro elemento é harmonizado com um tipo diferente de Reiki? Isso influenciaria as propriedades da molécula como um todo? Eu não consigo responder a isso, mas suponho que seja possível. A estrutura de um átomo pode ser alterada ao se ativar conexões do Reiki através de *quarks* e *charms* ou outras partículas subatômicas que são seu próprio ser? Mais uma vez, isso é algo que não consigo provar ou desaprovar, mas imagino que valha a pena observar pelo ponto de vista científico. O Reiki pode, em outras palavras, ser a porta para uma alquimia científica na qual as propriedades dos elementos podem ser alteradas ou intensificadas? Nunca saberemos, a menos que seja investigado.

O que eu sinto é a possibilidade mais promissora com a dinâmica do Reiki; porém, é a chance de criar uma fonte inesgotável de energia. O Reiki que flui de uma pedra é muito mais intenso que o tinido de energia que alguém sente ao segurar um cristal de quartzo que não está harmonizado com o Reiki, embora a energia do cristal de quartzo possa ser aproveitada. A energia de uma pedra de Reiki poderia ser aproveitada também? Em caso afirmativo, como essa energia poderia ser amplificada pelo uso de conexões do Reiki? Conexões que percorrem uma pedra ou outro objeto podem ser afetadas por outras conexões de Reiki, de modo que haja uma superposição de campos energéticos, um cercando o outro ou até coexistindo, a fim de que encontrem apenas um ponto na matriz tempo/espaço? Ou elas podem interagir de forma mais semelhante às teias de luz?

Se posso criar teias de luz para curar uma infecção no ouvido, essas mesmas teias podem fornecer uma fonte de energia, não em pedras, mas em *microchips*? Esses *chips* podem estar programados a desabilitar o Reiki e da mesma forma que um cristal pode? Se for possível, isso pode criar uma nova dinâmica de energia completa que pulsa, tem ritmos e pode interagir com outros campos energéticos com diferentes variáveis energéticas, mas de magnitudes de força similares? E se dois *chips* como os que imaginei pudessem ser programados a interagir de modo que um terceiro campo de energia maior seja criado, exatamente como as pedras de Reiki Yin e Yang criam um terceiro campo energético quando posicionadas sobre minha coluna? Isso poderia ser explorado. Talvez haja todo um campo de tecnologia do Reiki que possa ser explorado. Vamos fazer perguntas que possam levar a isso.

A dinâmica do Reiki poderia influenciar o modo no qual a energia é conduzida pelos cabos. Fios de cobre harmonizados com o Reiki conduzem eletricidade de maneira mais eficiente? Sabe-se que o Reiki ajuda a ligar itens elétricos, e acredito que haja um motivo científico para isso. Se um fio de cobre estiver harmonizado a um tipo de Reiki em uma extremidade, e a outro tipo de Reiki em outra, isso mudará o modo no qual o fio conduz eletricidade? É possível harmonizar os elétrons e os prótons com um fio de cobre para ativar conexões do Reiki e ligá-las para que um terceiro campo energético flua através do cabo por conta própria, sem que nenhuma fonte elétrica seja necessária? A que alguém poderia harmonizar os elétrons e prótons para manifestar isso?

Alguém com conhecimentos sobre o funcionamento da eletricidade poderia ser capaz de harmonizar elétrons com o Reiki de um íon particular ou corrente elétrica, ao mesmo tempo em que harmoniza os prótons a algo totalmente diferente; na teoria, sua interação poderia criar um determinado terceiro campo energético. Se eu posso fazer a água zunir com a energia tendo meu conhecimento limitado, do que seria capaz um profissional treinado, caso harmonizasse elétrons e prótons com diversos tipos de Reiki e os fizesse interagir no nível subatômico?

A dinâmica do Reiki poderia também ter maior representação na medicina holística. Em tratamentos alternativos, como a acupuntura, de que modo o efeito do Yin e Yang poderia ser intensificado para auxiliar em uma sessão curativa de acupuntura? Conheci uma estudante de acupressão que utilizava com frequência métodos discutidos por mim para harmonizar pontos de acupressão específicos a fim de ativar conexões do Reiki através de meridianos específicos. Essa técnica era, em geral, bastante eficaz em seu próprio processo curativo, assim como quando ela o utilizou em mim. Como a dinâmica do Reiki poderia ser empregada também na intensificação de tinturas herbáceas?

Essas coisas são especulações, compreendo. E não há estudo que eu seja capaz de realizar que comprove ou não algo. Mas posso afirmar que, tendo utilizado o Reiki para manifestar algo semelhante a um efeito bioquímico em minhas costas quando fui ferido no México, o Reiki de fato afeta o mundo físico; as vibrações de medicamentos e, talvez, os campos energéticos possam ser duplicados, em certo nível, por meio do Reiki. Como isso pode ser utilizado exatamente, deixo para o mundo da ciência.

Trabalhando com a dinâmica do Reiki

O que perdura agora, no entanto, é a oportunidade de levá-lo para o mundo do trabalho com a dinâmica do Reiki. Eu ainda tenho de experimentar algum efeito ou dinâmica do Reiki que seja prejudicial. Às vezes pode ser desgastante, mas não diretamente prejudicial. Por esse motivo, sinto que explorar isso em um livro não representa riscos.

Como antes, trabalhar com pedras é fácil e não custa nada. Portanto, encontre uma pedra que o esteja chamando para esse trabalho. Lembre-se: não saia simplesmente por aí e apanhe qualquer pedra que vir. Estabeleça sua intenção de encontrar a pedra correta, e, quando a tiver encontrado, você saberá.

Harmonização subatômica de pedras

Quando tiver sua pedra, segure-a na mão e peça para seu Sahu que harmonize os prótons de cada átomo daquela pedra ao Primeiro e ao Segundo Graus do Reiki Yin, lembrando-se de utilizar as palavras apropriadas e soprar três vezes para ativar a afirmação conforme revelado no capítulo 19. Depois, sinta a pedra. Familiarize-se com a sensação do Reiki Yin.

Após ter feito isso, peça a seu Sahu que harmonize todos os elétrons em todos os átomos nessa pedra ao Primeiro e ao Segundo Graus do Reiki Yang. Em seguida, segure a pedra e sinta o Reiki. Provavelmente haverá certo zumbido, como se o Reiki Yang e o Reiki Yin estivessem fluindo e se fundindo um ao outro, no nível subatômico. Porém, visto que essa fusão é infinita, a exemplo do Reiki, o zumbido dinâmico prossegue, pois ambos nunca se fundem por completo; eles estão apenas fluindo constantemente entre si.

Agora, amplifique esse zumbido fazendo com que seu Sahu harmonize todos os nêutrons em cada átomo da pedra a ser como baterias do Primeiro e do Segundo Graus do Reiki, ativando conexões com todos os demais nêutrons da pedra. Faça isso utilizando os métodos do Sahu discutidos no capítulo 19. Faça com que seu Sahu indique que as conexões do Reiki se destinem a amplificar toda a dinâmica do Reiki na pedra. Após dar o terceiro sopro para ativar a afirmação, você observará um aumento dramático na energia intermitente da pedra.

Como isso funciona? Eu realmente não sei, mas devo lembrá-lo de que o Reiki é inteligente e proveniente de uma fonte Divina. Se há uma maneira de amplificar a dinâmica do Reiki, a Inteligência dele trabalhará visando à das conexões. Dessa forma, simplesmente afirmar aquela intenção quando manifestar a conexão ajuda a transformar isso em uma realidade. O que de fato acontece no nível subatômico naquela ocasião ainda está além de nossa capacidade de compreensão.

Fazendo experimentos com a dinâmica do Reiki

Faça experimentos com isso até que se familiarize com as ideias. Você pode se concentrar em duas coisas. Antes de tudo, utilizo o Reiki Yin e o Yang porque fluem de maneira natural um ao outro; faz parte de sua natureza fazê-lo. É possível harmonizar elétrons e prótons com outras formas de Reiki, mas eles devem ser formas que irão fluir uma para a outra, amplificar-se mutuamente ou ter algum efeito dramático uma sobre a outra. Harmonizar elétrons ao Reiki *One Love* e os prótons ao Reiki *Mary and the Three Virgins* provavelmente formaria uma ótima pedra para cura, mas possivelmente não emitiria uma dinâmica marcante. Apesar disso, deixe que a experimentação seja seu guia.

Em segundo lugar, quando me concentro na harmonização, gosto de direcioná-la a elétrons e prótons, pois sei que funciona em um nível subatômico profundo e que o Reiki está ativando o centro desse objeto material. No entanto, também harmonizei uma extremidade de uma pedra com o Reiki Yin e a outra metade da pedra com o Reiki Yang. Depois, ao segurar no meio da pedra, sentirei uma interação muito forte entre ambos. Em direção às extremidades, será menor. Isso se dá porque a dinâmica do Reiki está ocorrendo com mais intensidade no limite entre os dois tipos de Reiki, visto que existem na pedra.

Após ter realizado experimentos com pedras, tente o mesmo com a água do banho e entre na banheira. É assim que você pode sentir todas as energias sutis que possivelmente não vivenciou com a pedra. Como essa experiência modifica como você pensa o Universo em relação às leis da Natureza? Essas são questões importantes, pois a dinâmica do Reiki diz respeito, de fato, a colaborar com o Divino para modificar e moldar a criação no nível mais fundamental. Mais uma vez: o Reiki não é capaz de prejudicar nada. Você não irá romper um átomo com o Reiki, mas pode descobrir propriedades da tabela periódica nunca antes conhecidas por nós e que podem ser utilizadas para a cura e a intensificação da experiência humana.

Como essa mudança na consciência poderia afetar a humanidade como um todo? Se fosse comumente reconhecido que uma energia mágica Divina pudesse fornecer o que agora buscamos em óleo, carvão, gás e outras fontes de energia, como isso poderia mudar nosso modo de pensar como espécie? Para acender um interruptor de luz nessa circunstância, alguém sempre estaria ciente da presença Divina, da presença do Reiki que estava iluminando a lâmpada. Atividades que fazem parte da rotina diária seriam preenchidas com uma consciência constante do Divino. Como isso poderia não mudar a humanidade para melhor? Mudaria e mudará.

Meus guias espirituais me dizem que deparei nada mais do que a ponta do *iceberg* do Reiki, que os próprios mistérios do Universo podem e serão um dia explorados com o Reiki. Não temos nada a temer com isso. Devemos seguir adiante, rumo à luz, e permitir que o próximo estágio da evolução humana comece: a capacidade de expandir e aproveitar a energia Divina infinita que existe em todas as coisas.

Capítulo 24

Reiki Como Oração

Neste livro, tentei enfatizar que o Reiki provém de uma Fonte Divina. Em geral, no Reiki, tentamos não rotular essa Fonte com um nome ou religião específicos. É por isso que todos têm o direito de interpretar quem ou o que é o Divino. Para alguns, pode aparecer com o rosto de Jesus e, para outros, pode se manifestar como Buda ou a Deusa. Minha crença pessoal é de que o Divino se manifestará por si só em qualquer forma que você for capaz de ver. Em outras palavras, o Divino é muito parecido com espelho. Aqueles que estão bravos verão o Divino bravo. Aqueles que são compassivos verão o Divino assim. Essa é minha interpretação pessoal, que me permite participar de várias religiões, pois, para mim, todas são reais de alguma forma. Eu sinto prazer em enviar Reiki ao deus grego Pan tanto quanto para Jesus, porque, para mim, ambos são aspectos de um ser multidimensional muito além de minha habilidade limitada de compreender dentro do contexto da razão e da linguagem. Porém, qualquer que seja seu caminho espiritual, sugiro incorporar o Reiki como uma forma de oração.

A maneira na qual isso é feito é simples. Envie Reiki para o Ser que você considera Divino. Considero essa uma maneira de retribuir ao Divino esse dom maravilhoso do Reiki, assim como outros dons que recebemos na vida.

Faça isso diariamente. Não se trata apenas de uma maneira de retribuir esse presente maravilhoso, mas também uma forma de comunhão direta. Assim que começar a sentir o alvo de seu Reiki enquanto envia tratamentos – como muitos provavelmente fazem a essa altura da jornada –, você será capaz de sentir diretamente o Divino. Não há nenhuma jornada maior do que essa, nenhum presente maior do que retribuir o dom e sentir a maravilha impressionante daquela Fonte Divina de todas as coisas.

Outra maneira de utilizar o Reiki para fortalecer sua conexão espiritual é enviar o Reiki de volta no tempo, ao momento da criação de sua alma. Sentir-se como se estivesse sendo moldado em uma consciência individual partindo da não forma do Divino é uma experiência que traz muitos presentes e reflexões. Outra maneira de conectar-se com seu ser como um todo e sua ligação a todas as coisas é ativar um elo do Reiki pelo tempo por todas as nossas vidas, desde o início da criação de nossas almas até o presente. Essa consciência multidimensional do ser é o tipo de coisa que os iogues e os monges buscam durante anos. Você agora possui essa habilidade dentro de si, ligada a seu campo energético.

Porém, o Reiki como oração não tem de dizer respeito apenas à comunhão com o Divino. Realizar boas ações com o Reiki é um meio de fortalecer sua alma e beneficiar todas as coisas. Lembre-se de que o Reiki sempre trabalha para o maior bem de todos.

Tratamentos podem ser enviados diretamente para sua alma também. Uma cura da alma pode ser um dos tratamentos de Reiki mais importantes que você pode receber. Simplesmente manifeste a intenção pelo tratamento em sua alma e utilize o Hon Sha Ze Sho Nen para ligar o tratamento à sua alma, e o símbolo do Mestre Usui, versão do Diakomyo, para a cura da alma. Pode-se acrescentar ou não o Cho Ku Rei, visto que o símbolo do Mestre Usui funciona de modo muito semelhante à versão mais elevada do Cho Ku Rei e não exige a ativação pelo Cho Ku Rei.

Com essas ferramentas do Reiki, você tem o poder de realmente caminhar rumo a um caminho de iluminação de modo tangível. Você pode trabalhar em direção a retribuir ao Divino, manifestar uma consciência de seus próprios primórdios como alma, realizar boas ações com a energia Divina e enviar tratamentos para curar sua própria alma e reparar sua própria separação do Divino. Essas talvez sejam algumas das coisas que Jesus pretendeu ao afirmar: "E nada vos será impossível" (Mateus 17:20).

Desse ponto em diante, a jornada é sua. A seguir, há exercícios sugeridos, mas como você utiliza o Reiki deve ser guiado por sua própria relação com o Divino. Ouça esse chamado. Haverá alguns de vocês que apenas utilizam o Reiki para esse único propósito, o de retorná-lo ao Divino. E isso, por si só, é suficiente.

Capítulo 25

O Futuro do Reiki

Eu sinto que o Reiki é para todas as pessoas algo que deve ser parte integrante da experiência humana. Isso não significa que todos serão ou devem ser um curador profissional de Reiki, que é um direito reservado para aqueles que se dedicam ao treinamento apropriado. Mas deixe-me fazer uma analogia entre o Reiki e algo muito comum: cozinhar. Nem todos que cozinham são *chefs* profissionais, embora a maioria conheça culinária o bastante para se alimentar. Portanto, essas novas ferramentas de Reiki também fornecem um meio para que a maior parte das pessoas se alimente espiritualmente, proporcione cura a seus amigos e familiares e faça do Reiki parte de seu cotidiano. A simplificação de harmonizações de Reiki por meio de cânticos e trabalho com o Sahu não diminui o poder do Reiki, mas apenas modifica o modo pelo qual podemos acessá-lo. Podemos ir adiante, até novos domínios da consciência com essa informação. Tenho grandes visões e esperanças quanto aos tipos de vantagens que poderiam ocorrer com o uso do Reiki na agricultura, medicina e outras ciências, investigando até o potencial de oferta de energia inesgotável, caso o Reiki pudesse, de algum modo, ser acessado como a eletricidade.

Habilitando todas as pessoas com o Reiki

Ao mínimo, este livro habilitará as pessoas a se curarem. As técnicas exploradas não devem possuir segredos esotéricos. Todas as pessoas têm o direito Divino de acessar a tremenda força curativa do Reiki em todos os aspectos da vida. Não devemos mais reter informações.

Eu realmente concordei, em determinada época, com a visão de que o Reiki deveria ser um clube exclusivo que admitisse apenas pessoas especiais. Essas pessoas especiais frequentemente eram, quase sempre, pessoas brancas de classe média alta que buscavam melhor qualidade de vida. Não as culpo por estarem nesse clube, mas é chegada a hora de as regras do clube mudarem, a fim de que sua associação não seja financeiramente exclusiva. Agora, este livro modifica tais regras e torna o dom do Reiki acessível a todos. Eu apoio a tradição do Reiki em manter uma troca energética, mas não a de que o Reiki permaneça nas mãos de poucos – e especialmente fora das mãos daqueles que geralmente não podem dispor de recursos para pagar por assistência médica regular. É fato que algumas pessoas possam optar por desonrar as trocas energéticas em cada harmonização sugeridas neste livro, mas esse é o carma delas com o Divino.

O impacto que este livro terá no mundo dos curadores de Reiki é claro. Tenho certeza de que a sociedade, por fim, se desenvolverá de tal forma que haverá especialistas em Reiki em relação a todas as coisas. O Reiki pode influenciar todos os aspectos de nossas vidas, e poderá chegar um dia em que alguém recorrerá a um acupunturista ou dentista de Reiki. Acredito que haverá fazendeiros que harmonizarão suas colheitas com o Reiki e restaurantes que servirão alimentos de uma maneira na qual tanto a comida quanto os utensílios estarão harmonizados com o Reiki. Pelo fato de a informação se fazer disponível neste livro, a capacidade de levar essa energia Divina para todos os aspectos de nossas vidas é agora verdadeiramente limitada por nossas imaginações. Sei, com toda a certeza, que curadores profissionais de Reiki perdurarão, mas muitos terão de estudar bastante, aprofundar seu conhecimento e exigir mais de si. Eles terão de sustentar esse sistema de energia à medida que ele se desenvolve rapidamente; precisarão compreender como utilizar as conexões do Reiki em sua prática, como harmonizar órgãos e, depois, liberar tais harmonizações por meio do Sahu. Precisarão saber como integrar o Reiki a outras formas de cura energética, como *MAP Coning* ou a Cura Energética Divina do VortexHealing® (ver Recursos, página 167). Embora este livro tenha aberto as portas do Reiki para muitos e expandido o modo como ele poderia ser utilizado tradicionalmente, as pessoas ainda desejarão recorrer a um profissional de Reiki treinado que possa manter limites emocionais claros com um cliente e realizar sessões em um espaço dedicado integralmente à cura.

O mundo dos curadores de Reiki e o do Reiki tornando-se parte integrante de toda a sociedade podem e devem coexistir. Minha esperança é a de que muitos curadores de Reiki não apenas sigam os ensinamentos deste livro, mas também os expandam, trazendo novas informações que estão além do que está aqui escrito. Este livro abre passagens para pessoas explorarem possibilidades mais profundas com o Reiki. Alguém pode se tornar especialista no uso do Reiki em relação a cuidados com animais ou na cura de plantas, ou então no trabalho com pesquisadores médicos que desejarão investigar o Reiki mais profundamente. Os usos do Reiki irão se ampliar e, à medida que o círculo aumentar, aqueles que estiverem envolvidos com o Reiki durante anos terão um lugar especial nessa transição. Se o Reiki, de fato, se tornar um aspecto integrante de toda a sociedade, penso que aqueles que conhecem e compreendem o que o Reiki é certamente terão oportunidades de usar esse presente sagrado e se sustentarão com ele.

O âmago do Reiki

O Reiki é como o restante do Universo, evoluindo de formas que nós, geralmente, não conseguimos prever. Eu realmente não sei se dr. Usui teria noção de que o Reiki iria para onde foi ou o que o Reiki poderia ainda ser capaz de fazer. Talvez ele, de fato, soubesse dessas coisas; talvez soubesse que ninguém seria capaz de compreendê-lo cem anos atrás. O que importa é que a informação deste livro é real e verdadeira, além de poder ajudar a humanidade. O Divino continuará a prover aqueles curadores de Reiki fiéis à Unidade do propósito Divino. Porém, é chegado o momento de o dom Divino ser compartilhado com todos que o desejam. É chegado o momento de esse presente Divino ser plenamente seguido não apenas como uma forma de cura, mas como um estilo de vida.

Quando eu ainda acreditava que o Reiki se destinava àquelas poucas pessoas especiais, já havia iniciado meus experimentos. Eu os mantive em segredo. Às vezes, permanecia em silêncio, sabendo que tinha conhecimentos que poderiam ajudar pessoas portadoras de *aids* ou câncer, mas que supostamente não poderia violar algumas leis invisíveis que afirmavam que o Reiki era um sistema estagnado, inflexível e que deveria apenas ser ensinado da maneira tradicional. Minha consciência era torturada, e eu ainda não fazia nada, na tentativa de ser fiel à tradição. Não mudei minha atitude até trabalhar com o espírito Ra Ta, também conhecido como Edgar Cayce. Foi Ra Ta quem me disse que eu deveria escrever este livro, que esta informação não se destinava apenas a meus olhinhos especiais, que permanecer em silêncio era antiético ao que dizia respeito o âmago do Reiki. E acho que devemos, com tudo isso, como Jesus pediu que fizéssemos, olhar para o âmago da lei. Qual é o âmago da lei do Reiki? Ele deseja um clube exclusivo que proporciona aos influentes a sensação de serem especiais aos olhos de Deus, ou é para ser utilizado para curar o planeta, ajudar as crianças de comunidades a terem acesso à saúde, auxiliar todos nós a ver como o Divino realmente é presente e disponível? Essa não é a verdadeira lei do Reiki?

À medida que o círculo do Reiki se expandir – como deve ser –, o Reiki se tornará, naturalmente, mais conectado com o Divino e criará um mundo mais democrático e pacífico. À medida que o mundo do Reiki mudar de uma aristocracia para uma democracia, testemunharemos o verdadeiro poder dessa força em todos os aspectos de nossas vidas.

Apêndice de Exercícios

Estes exercícios foram criados para tornar os ensinamentos deste livro "amigos do leitor": possibilitar a você a utilização dos ensinamentos diariamente e incorporar essas técnicas em seu cotidiano. Alguns dos exercícios podem atraí-lo mais do que outros. Utilize o que funcionar para você.

Exercício de Reiki para curar garganta inflamada

Essa técnica é extremamente eficaz. Funciona ativando conexões do Reiki pela garganta, criando literalmente um "X" de luz curativa Divina no meio de sua garganta. Para isso, simplesmente peça a seu Sahu que harmonize a metade esquerda de sua mandíbula para funcionar como a bateria do Primeiro e do Segundo Graus do Reiki. Peça a seu Sahu que ative uma conexão de Reiki do Primeiro e Segundo Graus de Reiki entre essas duas baterias. Agora repita o mesmo processo utilizando a metade direita de sua mandíbula e a metade esquerda da clavícula como baterias de Reiki, e ative uma conexão de Reiki entre elas também. Ao fazer isso, você cria duas conexões do Reiki através da garganta, como um X. A conexão de Reiki tratará a garganta inflamada de forma intensa. (Na verdade, criei esse exercício apenas uma hora antes de escrever este livro, pois estava sofrendo com a garganta dolorida, seca e arranhando. Agora, enquanto escrevo, a inflamação acabou.)

Exercício de Reiki para aliviar um dia ruim

Você realmente pode utilizar esse para aliviar um dia, uma semana, um mês ruim – ou qualquer período de tempo que desejar. Não é o dia por si só que está sendo aliviado, e sim as vibrações negativas que estão presas em seu campo energético através da matriz tempo/espaço durante aquele período de tempo. Para realizar esse trabalho, você deve identificar quando se iniciou a energia negativa. Você não precisa de um tempo exato; pode destacá-lo como uma ação, estado de espírito ou o quer que seja, mas você realmente precisa identificar algum ponto de partida. Este não deve se confundir com a causa. Você precisa de um ponto na linha do tempo em que pode fixar uma bateria de Reiki, e é melhor fazê-lo quando a negatividade iniciou.

Após ter destacado o ponto de partida, peça a seu Sahu que harmonize seu corpo de volta no tempo para ser como uma bateria de Primeiro e Segundo Graus do Reiki. Depois, peça a seu Sahu que harmonize seu corpo para ser como uma bateria de Primeiro e Segundo Graus do Reiki no presente. Agora peça a seu Sahu que ative uma conexão de Primeiro e Segundo Graus do Reiki entre esses dois pontos.

Seu corpo, entre esses dois pontos no tempo, torna-se quase como um túnel de luz que atrai intensamente a energia negativa que você absorveu durante aquele período de tempo específico. Como esse túnel de luz puxa a negatividade para fora, sua consciência começa a se modificar no presente. O período de tempo não parece mais ser tão ruim. Portanto, ao mudar seu próprio campo energético durante esse período, você alterou sua consciência para uma que está mais alinhada à plenitude.

Quando você estiver preparado, peça a seu Sahu que libere as harmonizações com a bateria e a conexão do Reiki.

Exercício de Reiki para encontrar itens perdidos

Esse exercício funciona melhor em itens que não sejam tão pequenos ou finos. Funciona com a solicitação a seu Sahu para harmonização do objeto para que seja como uma bateria de Reiki e, em seguida, harmonize seu coração para ser como outra bateria de Reiki. Peça a seu Sahu que ative uma conexão de Reiki entre os dois pontos. Depois, siga a energia da conexão enquanto ela percorre seu corpo, e vá nessa direção. Utilize sua mão para monitorar a conexão quando ela deixar seu corpo para ir em direção aonde seu item pode ser recuperado.

Exercício de Reiki para limpar o trato digestivo

A limpeza que menciono aqui é do tipo energética. Não é o mesmo que uma limpeza colônica e não deve ser considerada um substituto desta. Se você tem prisão de ventre, isso não irá curá-lo. Porém, o que esse exercício faz, de fato, é limpar internamente a energia de seu trato digestivo de modo rápido e eficaz. Simplesmente peça a seu Sahu que harmonize toda a massa fecal que já passou dentro de você aos Primeiro e Segundo Graus do Reiki, no momento em que ela entrou em seu corpo como alimento. A harmonização é enviada em peso para todos os alimentos que você já ingeriu e harmoniza aqueles átomos e moléculas que fazem parte de tudo o que você ingeriu e que não é absorvido no organismo. Você sentirá imediatamente um claro aumento da energia em todo o seu trato digestivo. Isso ajuda a limpar energias negativas ou formas-pensamento negativas que podem estar se prolongando dentro de você, ou que podem estar dentro de você há anos.

Lembre-se: você é o que você come. Isso inclui as vibrações em seus alimentos e os pensamentos que os cercam quando são preparados, servidos e consumidos. Aprender a limpar seu trato digestivo dessas energias indesejadas pode ajudá-lo a se tornar mais claro nos aspectos tanto mental como energético.

Banho de amor e luz do Reiki

Esse é exatamente como o nome diz: um banho de amor e luz. Simplesmente inicie enchendo sua banheira com água. Quando estiver no nível desejado, peça para que seu Sahu harmonize todos os átomos de hidrogênio da água com o Primeiro e Segundo Graus do Reiki *One Light*. Depois, peça a seu Sahu que harmonize todos os átomos de oxigênio da água ao Primeiro e ao Segundo Graus do Reiki *One Love*. O banho então se preenche com uma teia de Reiki que emana amor e luz. Banhe-se nela como se estivesse no paraíso, pois é onde você está, de certa forma.

Exercício de Reiki para uma boa noite de sono

Valeriana é uma erva que relaxa o corpo e a mente. Nesse exercício, você pede para seu Sahu que harmonize todos os seus músculos com o Reiki da valeriana exatamente antes de você ir dormir. Seus músculos então relaxarão em um descanso profundo, permitindo um sono extremo. Pelo fato de você possivelmente se esquecer de liberar a harmonização quando acordar na manhã seguinte, faça com que seu Sahu programe a harmonização para durar apenas algumas horas. Não é necessário ser durante todo o período em que você estiver dormindo. Para programar uma harmonização dessa maneira, simplesmente afirme o seguinte:

Pelo poder da luz dourada interior
Pelo poder do sopro sagrado
Eu manifesto esta verdade
Agora desejo que meu Sahu harmonize todos
os músculos de meu corpo
Ao Primeiro e Segundo Graus do Reiki da erva valeriana
E libere essa harmonização em (complete) horas
Eu manifesto isso agora
Assim seja

Você, naturalmente, deve soprar três vezes – como em todas as demais harmonizações do Sahu. Após fazer isso, relaxe em um sono maravilhoso.

Exercício de Reiki para limpar a mente

Você pode, obviamente, realizar um tratamento em si mesmo com o símbolo do Sei He Ki para limpar sua mente e fazê-la funcionar. Mas você frequentemente não está em um local para realizar um tratamento. Nesse caso, esse exercício pode oferecer algum conforto.

Peça a seu Sahu que harmonize o interior de cada metade de seu crânio para serem como baterias do Primeiro e do Segundo Graus do Reiki, enviando uma conexão de Reiki Sei He Ki ou de Reiki *One Light* entre elas. A conexão agora percorre exatamente seu cérebro, fornecendo a iluminação necessária para ajudá-lo a encontrar um espaço de claridade. Quando você se sentir limpo, libere a harmonização.

Exercício de Reiki para habilitação pessoal

Isso envolve a visualização e a internalização do símbolo do Cho Ku Rei. Ele não envolve o envio de Reiki ou o fluxo dele, mas diz respeito a você ver a si mesmo como Reiki, como o símbolo de poder.

Faça esse exercício em pé. Visualize um grande símbolo Cho Ku Rei sobre seu abdome, veja-o crescer, aumentar cada vez mais, até que preencha todo o seu corpo. Após tê-lo visualizado preencher seu corpo inteiro, observe-o e a si mesmo preenchendo todo o cômodo, aumentando cada vez mais. Em seguida, visualize-se continuando a crescer e o Cho Ku Rei crescendo com você como se ambos estivessem fundidos em um. Observe a ambos crescendo até que tenha preenchido a casa ou apartamento inteiro. Permita que essa sensação de magnitude e poder preencha todo o seu ser.

Agora veja a si e o símbolo do Cho Ku Rei crescendo além do tamanho de sua residência, ficando do tamanho de um quarteirão. Continue crescendo até que esteja do tamanho da cidade em que você reside. (Se você morar em uma zona rural, veja a si do tamanho do ecossistema ao seu redor.)

Você pode levar esse exercício tão longe quanto desejar. Em geral, quando estou do tamanho do cômodo, sinto-me bastante poderoso. Mas, se desejar, veja a si mesmo crescendo com o Cho Ku Rei para tornar-se do tamanho de todo o continente, planeta, sistema solar ou Universo – se ousar. Com o Cho Ku Rei sendo fundido à sua própria imagem, você está vendo seu próprio poder Divino aumentar, e você se torna mais capaz de afirmá-lo.

Exercício de Reiki para expandir a consciência

Meus guias me dizem que isso é algo que foi utilizado em Atlantis, e de fato é empregado como uma passagem por seres iluminados, para fins de bilocação. Nunca alcancei esse estado, mas senti as limitações de tempo e espaço escapulirem.

Como no exercício anterior, você iniciará sentado. Feche os olhos e visualize a si mesmo como o símbolo do Hon Sha Ze Sho Nen, observando-o passar da sua cabeça até os dedos dos pés. Leve suas mãos a cerca de 7,5 centímetros à frente de seu chacra do terceiro olho (o meio da testa) e posicione as mãos com os dedos voltados para o céu, as pontas deles tocando levemente as da mão oposta. Essa é uma espécie de posição de oração, exceto pelas palmas não estarem se tocando, apenas as pontas dos dedos. As palmas estão cerca de 2,5 a 5 centímetros distantes uma da outra, as quais, quando levadas à frente do terceiro olho, o abrem para entrar, de fato, no símbolo do Hon Sha Ze Sho Nen em um nível físico. É aí que a parte da visualização termina.

A partir desse espaço, disseram-me que você pode projetar sua consciência em qualquer tempo ou espaço. Eu experimentei e funciona. Não é o mesmo que projeção astral. Você não está deixando seu corpo ou entrando em transe xamânico como em uma jornada dessa natureza. Sua consciência simplesmente chega ao destino. Experimente isso por conta própria e veja.

Recursos

Alguns dos livros e *sites* recomendados a seguir parecem não ter relação com o Reiki, mas têm, se considerarmos o Reiki uma parte de um todo ainda maior, na tentativa de criar um mundo melhor e mais sustentável.

Para explorar ainda mais o Reiki como um curador profissional, leia, por favor, o livro de Diane Stein, *Essential Reiki* (Berkeley, CA: Crossing Press, 1995).

Para aprender mais sobre o trabalho com Devas (Espíritos da Natureza) para a autocura, leia o livro *MAP: The Co-Criative White Brotherhood Medical Assistance Program* (Warrenton, VA: Perelandra Ltd., 1990).

Para ampliar sua prática como um curador energético, recomendo enfaticamente a investigação do VortexHealing® Divine Energy Healing, em www.VortexHealing.com.

Se você deseja informar-se sobre maneiras de ajudar a curar o planeta e ter um estilo de vida mais sustentável, Circle of Life, uma organização sem fins lucrativos fundada por Julia Butterfly Hill, é uma fonte excelente. Acesse www.CircleofLife.org.

Nota do Editor

A Madras Editora não participa, endossa ou tem qualquer autoridade ou responsabilidade no que diz respeito a transações particulares de negócio entre o autor e o público.

Quaisquer referências de internet contidas neste trabalho são as atuais, no momento de sua publicação, mas o editor não pode garantir que a localização específica será mantida.

Índice Remissivo

A

Atlantis 165
ATM 30
Autotratamento 9, 27

B

Banho de amor e luz 163
baterias 42, 135, 136, 139, 140, 141, 142, 143, 152, 161, 164
Brahma Vo 91, 92

C

Cayce, Edgar 159
como oração 156
conexões 136, 138, 139, 140, 141, 142, 143, 150, 151, 152, 153, 158, 161
cristais 132, 145, 146, 147, 148
Cura 20, 158

D

Daikomyo 94, 95, 113
Divino 13, 14, 19, 24, 25, 28, 40, 41, 43, 45, 46, 47, 51, 59, 60, 69, 71, 74, 77, 79, 94, 97, 98, 109, 117, 119, 121, 124, 130, 132, 134, 140, 153, 154, 155, 156, 157, 158, 159, 160, 165

E

enviando 70, 71, 80, 98, 124, 137, 138, 146, 164
Exercícios 9, 10, 73, 161

F

Família 9, 43
Fling Fling 76, 77, 78, 82

G

Graus 9, 19, 25, 78, 79, 82, 83, 84, 85, 87, 88, 92, 100, 110, 120, 131, 139, 140, 142, 143, 146, 152, 161, 162, 163, 164

H

Harmonizações 9, 19, 117, 118, 121
Hon Sha Ze Sho Nen 57, 61, 63, 69, 70, 71, 73, 74, 75, 100, 101, 103, 110, 111, 112, 113, 114, 117, 137, 156, 165
Hui Yin 99, 100, 110, 111, 112, 113

K

Kali Yoni 89, 92

L

limpeza da aura 53

M

MAP Coning 158
Mary and the Three Virgins 86, 87, 153
Mestres de Reiki 7, 14, 15, 16, 19, 25, 41, 42, 63, 75, 93, 95, 99, 115, 129, 130, 145
Mezzenrenthra 87

O

Objetos inanimados 42
Omega Institute for Holistic Studies 17, 117
Om Shee Nu Va 88
One Light 84, 163, 164
One Love 80, 81, 82, 105, 106, 142, 153, 163
Open the Mountain from the Inside 85
Oração 10, 45, 155

P

Paz mundial 74
pedras 9, 94, 99, 100, 101, 102, 105, 106, 107, 122, 132, 133, 135, 139, 140, 150, 151, 152, 153
potencialidade médica do Reiki 133

R

Raku (Dragão de Fogo) 95
Ra Ta 7, 159
Redwood 73, 130, 131, 132
Rei-ju 15
Reiki 9, 10, 11, 13, 14, 15, 16, 17, 18, 19, 20, 21, 23, 24, 25, 26, 27, 28, 29, 30, 31,
    33, 34, 35, 37, 38, 40, 41, 42, 43, 44, 45, 46, 47, 48, 49, 50, 51, 52, 53, 54, 55,
    56, 57, 58, 59, 60, 61, 63, 64, 65, 66, 67, 68, 69, 70, 71, 73, 74, 75, 76, 77, 78,
    79, 80, 82, 83, 84, 85, 86, 87, 88, 92, 93, 94, 95, 96, 97, 98, 99, 100, 101, 102,
    103, 105, 106, 107, 108, 109, 110, 112, 113, 114, 115, 117, 118, 119, 120,
    121, 122, 123, 124, 125, 126, 127, 129, 130, 131, 132, 133, 134, 135, 136,
    137, 138, 139, 140, 141, 142, 143, 145, 146, 147, 148, 149, 150, 151, 152,
    153, 154, 155, 156, 157, 158, 159, 160, 161, 162, 163, 164, 165, 167
Reiki Sahu e 130
Rish Tea 78, 79, 80, 82, 106, 118

S

Sama Dee Nah 90, 92
Segundo Grau do Reiki 9, 55, 58, 59, 60, 61, 63, 64, 71, 73, 75
Sei He Ki 56, 57, 63, 67, 68, 69, 73, 74, 76, 78, 82, 100, 101, 103, 108, 110, 111,
    112, 113, 114, 122, 164
Sekhmet 7, 117, 121
Seres do Reiki 40, 51
Símbolo do Mestre Tibetano (Daikomyo) 94
Símbolo do Mestre Usui (Daikomyo) 95
Símbolos 9, 55, 75, 88, 93, 111
So Mah Kee 91, 92

T

Tempo 124
Terceiro Grau do Reiki 9, 19, 93, 94, 95, 96, 97, 98, 99, 112, 113, 117, 147
Terra 17, 59, 60, 73, 74, 75, 77, 97, 114
Tratamento 21, 53, 54, 92, 100
Tratamentos 9, 41, 43, 53, 156
Amigos 9, 43
troca energética para 23, 84

U

Ushta Rollo Veh 90, 92
usos diários do Reiki 40

V

Valeriana 163
Va Shna Hei 89, 92
velas 25, 60, 77, 79, 82, 85, 94, 98, 102, 103, 105, 107, 108, 117, 119
Velas 9, 99, 105, 107, 108
VortexHealing® Divine Energy Healing 7, 167

Y

Yin e Yang 151

Leitura Recomendada

SOMOS ENERGIA
O segredo quântico e o despertar das energias

Jorge Blaschke

Muitas vezes, depois de alcançar algum êxito ou objetivo, sentimo-nos recompensados, animados e cheios de energia. E, ainda que vagamente, também percebemos que certas atitudes anteriores foram a chave do sucesso. Este livro propõe exatamente o aprendizado dos mecanismos que nos levam ao triunfo e ao bem-estar.

ThetaHealing
Uma das mais poderosas técnicas de cura energética do mundo

Vianna Stibal

Em 1995, Vianna Stibal, mãe de três filhos, foi diagnosticada com um câncer que estava destruindo rapidamente seu fêmur direito. Tudo o que ela tentou usar – tanto medicina convencional quanto alternativa – falhou, até que empregou uma técnica simples que ela usava em seu trabalho de leitura intuitiva. Maravilhada por ter se curado instantaneamente, Vianna começou a usar essa abordagem em suas sessões com clientes e viu várias pessoas serem curadas miraculosamente.

AUMENTO DA POTÊNCIA DO TOQUE QUÂNTICO
Técnicas Avançadas

Alain Herriott

Este é um livro prático e avançado que tem como base a aula de *Aumento da Potência do Toque Quântico*, que ensina aos alunos do Toque Quântico como aumentarem rapidamente a eficácia e a efetividade de suas sessões de cura com resultados duradouros. Alain Herriott apresenta novos métodos por meio de uma conversa com instruções passo a passo, de forma que você possa aprender a equilibrar seu sistema, despertar suas habilidades perceptivas e aprofundar sua capacidade de ajudar os outros.

www.madras.com.br

Leitura Recomendada

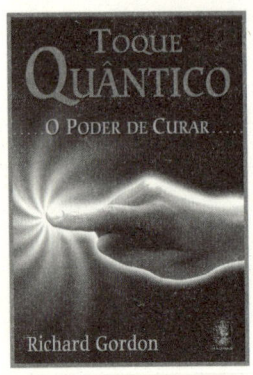

Toque Quântico -
O poder de curar

Richard Gordon

Todos os seres humanos possuem poderes naturais que podem passar despercebidos durante toda a sua existência, ou serem desenvolvidos por meio de métodos científicos. Richard Gordon mostra em *Toque Quântico - O Poder de Curar* que a possibilidade da cura está literalmente em nossas mãos. Release: Todos os seres humanos possuem poderes naturais que podem passar despercebidos durante toda a sua existência, ou serem desenvolvidos por meio de métodos científicos.

Cura pela Energia das Mãos
Um Guia Definitivo das Técnicas de Energização com as mãos de uma mestra

Starr Fuentes

Desde a Antiguidade, é sabido que o homem é dotado de diversos poderes, que são manifestações dos atributos de Deus e de suas divindades. Um desses poderes é o de curar a si e aos semelhantes por meio da imposição das mãos, com as quais irradia energias benéficas que promovem resultados incríveis, desde o alívio de uma simples dor de cabeça até a obtenção do equilíbrio emocional das pessoas.

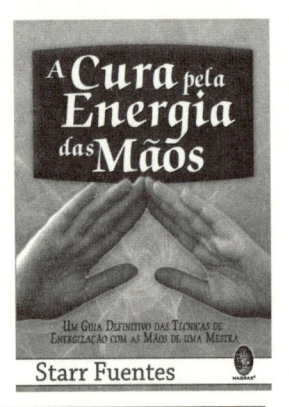

Cura Pela Energia
Princípios básicos dos cuidados pessoais

Ann Marie Chiasson

Onde começa o verdadeiro bem-estar? Por milhares de anos, terapeutas tradicionais têm sido capazes de detectar e corrigir os desequilíbrios no plano energético para curar nossas doenças. Atualmente, essas tradições estão expandindo o conhecimento médico sobre nossa anatomia sutil e seu papel em nosso bem-estar geral.

www.madras.com.br

MADRAS® Editora
CADASTRO/MALA DIRETA

Envie este cadastro preenchido e passará a receber informações dos nossos lançamentos, nas áreas que determinar.

Nome _____
RG _____ CPF _____
Endereço Residencial _____
Bairro _____ Cidade _____ Estado ____
CEP _____ Fone _____
E-mail _____
Sexo ❏ Fem. ❏ Masc.   Nascimento _____
Profissão _____ Escolaridade (Nível/Curso) _____

Você compra livros:

❏ livrarias   ❏ feiras   ❏ telefone   ❏ Sedex livro (reembolso postal mais rápido)
❏ outros: _____

Quais os tipos de literatura que você lê:

❏ Jurídicos   ❏ Pedagogia   ❏ Business   ❏ Romances/espíritas
❏ Esoterismo   ❏ Psicologia   ❏ Saúde   ❏ Espíritas/doutrinas
❏ Bruxaria   ❏ Autoajuda   ❏ Maçonaria   ❏ Outros:

Qual a sua opinião a respeito desta obra? _____
_____

Indique amigos que gostariam de receber MALA DIRETA:
Nome _____
Endereço Residencial _____
Bairro _____ Cidade _____ CEP _____

Nome do livro adquirido: *Guia Mágico de Reiki para a Auto-Harmonização*

Para receber catálogos, lista de preços e outras informações, escreva para:

MADRAS EDITORA LTDA.
Rua Paulo Gonçalves, 88 – Santana – 02403-020 – São Paulo/SP
Caixa Postal 12183 – CEP 02013-970 – SP
Tel.: (11) 2281-5555 – Fax.:(11) 2959-3090
www.madras.com.br

Este livro foi composto em Times New Roman PS, corpo 11/13.
Papel Offset 75g
Impressão e Acabamento
Orgráfic Gráfica e Editora — Rua Freguesia de Poiares, 133 — Vila Carmo-
zina — São Paulo/SP
CEP 08290-440 — Tel.: (011) 6522-6368 — comercial@terra.com.br